D0609121

DANGEROUS PERFECTION

Du même auteur

Simple Perfection, &moi, 2015.

Abbi Glines

DANGEROUS PERFECTION

Traduit de l'anglais (États-Unis)
par Fabienne Gondrand

Roman

Titre de l'édition originale :
TWISTED PERFECTION
Publiée par Atria, un département de Simon & Schuster

Maquette de couverture : Evelaine Guilbert
Photo : Fotosearch / Getty Images

ISBN : 978-2-7096-4706-9

À Autumn Hull. M'écouter alors que je suis perdue dans mon processus créatif n'est pas facile. Voire agaçant. J'ai la chance de connaître quelqu'un que je peux appeler pour me plaindre tout mon soûl. Merci Autumn.

Trois ans plus tôt

Della

Tu es mon rayon de soleil, mon seul rayon de soleil. Tu me rends heureuse quand les cieux sont gris.

Continue à chanter, maman. Ne t'arrête pas. Je suis désolée d'être partie. Je voulais vivre un peu. Je n'ai pas peur comme toi. J'ai besoin que tu chantes. S'il te plaît, chante pour moi. Ne fais pas ça. Ne va pas avec lui. Il n'existe pas. Tu ne vois donc pas? Il n'a jamais existé. Il est mort depuis seize ans.

J'aurais dû parler à quelqu'un. Tout ça c'est ma faute. Tu avais besoin d'aide et je n'ai rien fait. Après tout, j'avais peut-être peur moi aussi… peur qu'ils ne t'emportent.

— Della, ma chérie, donne-moi tes mains. Il faut les laver. Regarde-moi, Della. Écoute-moi. Elle n'est plus là, mais tu vas t'en sortir. On va te nettoyer. Ils ont emporté son corps et on va quitter cette maison, pour de bon. Pour toujours. Je t'en prie, Della, regarde-moi. Dis quelque chose.

D'un battement de paupières, je chassai ces souvenirs et levai les yeux vers Braden, ma meilleure amie. Le visage inondé de larmes, elle essuyait le sang sur mes mains avec un gant de toilette humide. J'aurais dû me relever et le faire moi-même, mais j'en étais incapable. J'avais besoin qu'elle s'en charge à ma place.

J'ai toujours su que ça arriverait un jour. Peut-être pas exactement comme ça. Jamais je n'avais imaginé la mort de ma mère. La plupart du temps, je culpabilisais quand j'y pensais. Mais c'était plus fort que moi. Ma soif de liberté surpassait la culpabilité.

J'avais toujours espéré que quelqu'un finisse par se rendre compte que ma mère n'avait pas toute sa tête. Que je n'étais pas une enfant bizarre qui voulait tout le temps rester à la maison et refusait de sortir dans le vrai monde. Je voulais qu'on s'en aperçoive… et en même temps non. Parce que obtenir ma liberté signifiait perdre ma mère. Et elle avait beau être folle, elle avait besoin de moi. Je ne pouvais pas les laisser l'emmener. Elle avait toujours eu tellement peur… de tout.

Quatre mois plus tôt

Della

Lorsque Braden m'avait donné sa vieille voiture pour que je parte découvrir le monde, ni l'une ni l'autre n'avions réalisé que je ne savais pas faire le plein. J'avais mon permis depuis trois mois à peine. Et je conduisais depuis cinq heures. Jusque-là, je n'avais pas eu besoin de le faire.

Je cherchai mon téléphone dans mon sac pour appeler Braden. Mais elle était en voyage de noces et ça me gênait de la déranger. Plus tôt dans la journée, quand elle m'avait collé ses clés dans la main en me disant : « Pars à l'aventure. Trouve ta voie, Della », j'avais été tellement touchée par sa générosité que je n'avais pas pensé à demander quoi que ce soit. Je m'étais contentée de la serrer dans mes bras puis de la regarder s'éclipser à l'arrière d'une limousine avec son mari, Kent Fredrick.

Il ne m'était jamais venu à l'esprit que je ne savais pas faire le plein. Jusqu'à cet instant. Le réservoir était totalement à sec, si bien que j'avais dû terminer en roue libre dans la petite station-service d'une ville côtière au milieu de nulle part. Riant de moi-même, j'écoutai la voix de Braden : « Je ne suis pas disponible. Si vous voulez me joindre, je vous conseille de raccrocher et de m'envoyer un texto. » Son répondeur. Elle était sûrement dans l'avion. Sur ce coup-là, j'allais devoir me débrouiller toute seule.

Je descendis de la petite Honda Civic rouge passé. Heureusement, je m'étais garée du côté du réservoir. Je savais que le bec se glissait dans une petite porte. J'avais déjà vu faire Braden. Je pouvais y arriver. Peut-être.

Premier problème : comment ouvrir cette petite porte magique. Elle était là, devant mes yeux, mais elle n'avait pas de poignée. Je la fixai un moment, puis jetai un œil alentour à l'affût de quelqu'un de pas trop louche dans les parages. J'avais besoin d'un coup de main. Il m'avait fallu deux bonnes années de thérapie pour pouvoir adresser la parole aux inconnus. À présent, ça m'arrivait fréquemment. Braden y était pour beaucoup plus que le psy que l'on m'avait forcée à consulter toutes les semaines. Braden m'avait poussée au-dehors et m'avait appris à vivre.

« La seule chose dont nous devons avoir peur est la peur elle-même. » La citation de Franklin D. Roosevelt était scotchée sur le miroir de ma salle de bains. Je la lisais chaque matin, ou, tout du moins, je l'avais lue chaque jour ces trois dernières années. Je la répétai en silence dans ma tête et mon corps se décontracta. Je n'avais pas peur. Je n'étais pas ma mère. J'étais Della Sloane, en voyage à la découverte de moi-même.

— Tout va bien ? Vous avez besoin d'aide ?

La voix traînante, grave et douce me fit sursauter. Je tournai brusquement la tête et découvris un gars qui me souriait de l'autre côté de la pompe. Ses yeux brun foncé posés sur moi semblaient pétiller de rire. Je n'avais pas beaucoup d'expérience en matière d'hommes, mais suffisamment pour savoir qu'un mec canon comme lui n'était pas forcément quelqu'un de recommandable. J'avais perdu ma virginité avec un charmeur du Sud dont le sourire faisait tomber les petites culottes. La pire expérience de ma vie. Mais ce type pourrait peut-être m'aider. Il ne me proposait pas de coucher. Il me proposait de l'aide. Enfin, c'est ce que je croyais.

— Je ne sais pas… Je… En fait, je n'ai jamais…

Seigneur, je n'arrivais même pas à le dire. Comment expliquer qu'une fille de dix-neuf ans ne savait pas comment utiliser une pompe à essence ? Un rire se mit à vibrer dans ma poitrine et je me couvris la bouche. Il allait me prendre pour une folle. Je réprimai mon gloussement du mieux possible et lui souris.

— Je ne sais pas faire le plein.

Ses élégants sourcils bruns se dressèrent et il m'étudia un instant, se demandant sans doute si c'était vrai. S'il savait ! Il y avait tant de choses que j'ignorais. Braden avait tenté de m'expliquer le fonctionnement du monde, mais, maintenant qu'elle était mariée, il était temps que je me débrouille sans elle.

— Vous avez quel âge ? interrogea-t-il en me reluquant de haut en bas.

Je ne ressemblais pas à une ado. Depuis mes seize ans, j'avais eu un corps parfaitement développé. Je voyais bien qu'il essayait de deviner mon âge. Car seul le jeune âge pouvait expliquer que je ne sache pas faire le plein.

— J'ai dix-neuf ans, mais je ne conduis pas depuis longtemps et c'est la première fois que je dois prendre de l'essence.

Je soupirai puis laissai échapper un petit rire. La réponse avait quelque chose de ridicule, même pour moi.

— C'est difficile à croire, je sais, mas j'ai besoin d'aide. Si vous pouviez juste me mettre sur la voie, j'y arriverais.

Je jetai un œil à son gros pick-up. Noir et rutilant. Il convenait bien à son corps élancé et musclé, sa peau mate et ses cheveux foncés. C'était un de ces types sexy et dangereux. On le devinait rien qu'à son petit sourire satisfait.

Lorsqu'il s'approcha, je m'aperçus qu'il était beaucoup plus grand que ce que je pensais. Cela étant, je ne mesurais qu'un mètre soixante-cinq. La coupe bien ajustée de son jean et ses boots en cuir marron foncé mettaient ses jambes en valeur. Je me rendis compte un peu trop tard que je le fixais et relevai aussitôt les yeux pour croiser son regard amusé. Il avait vraiment un très beau sourire. Son visage, qui semblait ne pas avoir vu de rasoir depuis plusieurs jours, encadrait ses dents blanches et parfaitement droites. Son apparence négligée ne collait pas avec son pick-up de luxe.

— Faut d'abord ouvrir cette petite porte, dit-il en toquant dessus.

La façon dont ses lèvres enroulaient les mots me fascinait au point que j'avais peur de rater ses instructions. J'allais lui poser une question lorsqu'il me contourna pour ouvrir la portière conducteur. Il se pencha en avant, m'offrant une vue dégagée sur son jean resserré sur son fessier délicieusement ferme. Très appréciable.

En se débloquant d'un coup, la porte magique qui m'avait tant décontenancée me fit sursauter. Je poussai un cri aigu et me retournai : elle était ouverte.

— Oh! m'exclamai-je avec enthousiasme. Comment avez-vous fait?

Son corps sensuel s'approcha derrière moi et je décelai un parfum d'herbe et de quelque chose de plus fort… Du cuir, peut-être? Ces effluves m'envoûtèrent. Pour ne pas laisser passer l'occasion (cela m'était arrivé trop souvent dans ma vie), je reculai légèrement, juste assez pour que mon dos touche sa poitrine.

J'envahissais son espace personnel, mais il ne s'éloigna pas pour autant. Au lieu de quoi, il inclina la tête pour me parler à l'oreille. Sa voix grave avait un roulement délicieux.

— J'ai appuyé sur le bouton d'ouverture de la trappe à essence, juste en dessous du tableau de bord.

— Oh.

Je ne trouvai rien d'autre à répondre. Un rire profond vibra dans sa poitrine contre mes épaules.

— Vous voulez que je vous montre comment on verse l'essence, maintenant ?

— Oui, ce serait gentil.

Mais je voulais rester tout contre lui. Je fis un signe de la tête, bien contente qu'il ne bouge pas d'un pouce. Peut-être aimait-il le contact physique autant que moi. Pourtant, ça n'était pas une bonne idée. Les gars dans son genre avaient tendance à malmener les femmes. Pourquoi fallait-il qu'ils sentent divinement bon et soient si beaux ?

— Il va falloir me laisser passer, ma belle.

Son haleine chaude réchauffa le duvet délicat qui recouvrait mon oreille. Je retins un frémissement, hochai la tête et plaquai mon dos contre la voiture.

Nos poitrines se frôlèrent tandis qu'il me contournait en me fixant de son regard pénétrant. Ses yeux couleur chocolat tachetés d'or ne semblaient plus amusés.

J'avalai ma salive avec difficulté et baissai les yeux. Lorsqu'il fut à distance raisonnable, je décidai qu'il était temps de l'observer faire le plein. Il ne fallait pas perdre de vue qu'il s'agissait d'une leçon. Dont j'avais désespérément besoin.

— D'abord il faut payer. Vous avez une carte ou vous réglez en cash ?

Sa voix avait repris un timbre normal. Fini les murmures sexy dans le creux de l'oreille.

Payer. J'avais oublié ce détail. Je hochai la tête, puis me penchai dans la voiture pour extirper mon sac. Je sortis ma carte de crédit et me redressai. Cette fois, c'est lui qui fixait mon postérieur. L'idée qu'il mate mes fesses me fit sourire. De manière un peu trop flagrante.

— Voilà, dis-je en tendant la carte tandis que ses yeux remontaient le long de mon corps.

Il me gratifia d'un clin d'œil. Il savait que j'avais surpris son regard et s'en amusait. Ce gars était un joueur, de ceux que les filles intelligentes fuyaient. Je n'étais pas assez maligne. J'avais donné ma virginité à un type exactement comme lui. Ça s'était passé dans l'appartement de sa meilleure amie. Et j'étais loin d'imaginer que l'amie en question était en réalité folle amoureuse de lui. L'histoire s'était plutôt mal terminée.

— Della, lut-il sur ma carte de crédit. J'aime bien ce prénom. Il vous va bien. Sexy et mystérieux.

— Merci, mais vous avez une longueur d'avance sur moi. Je ne connais pas le vôtre.

— Woods, répondit-il avec un petit sourire en coin.

Woods. Quel prénom étrange. Je ne l'avais encore jamais entendu.

— J'aime bien. Ça vous va bien.

Il fit mine de répondre mais son sourire s'effaça et il brandit la carte.

— Leçon numéro un : le paiement.

J'écoutai attentivement ses explications sur le fonctionnement d'une pompe à essence. J'avais du mal à ne pas me laisser distraire par sa prestance. Une vague de tristesse me submergea lorsqu'il replaça le pistolet et détacha le reçu. Je ne voulais pas que ça s'arrête, pourtant mon road trip m'attendait. Après toutes ces années, je devais me concentrer sur moi-même. Je ne pouvais pas m'arrêter en chemin sous prétexte qu'un gars m'avait tapé dans l'œil à une station-service.

— Merci beaucoup. La prochaine fois, ça sera plus simple, conclus-je en récupérant maladroitement la carte et le reçu que j'essayai de glisser dans la poche de mon short.

— Pas de quoi. Vous êtes en vacances dans le coin ?

— Non. Juste de passage. Je pars à l'aventure.

Fronçant les sourcils, Woods me dévisagea un instant.

— Vraiment ? Intéressant. Vous connaissez la destination finale ?

Je n'en avais pas la moindre idée.

— Non, avouai-je en haussant les épaules. Je le saurai une fois que je l'aurai trouvée.

Nous restâmes un moment silencieux. Je fis mine de partir lorsque Woods posa la main sur mon bras.

— Voulez-vous dîner avec moi avant de reprendre la route ? Dans une heure il fera nuit. Vous allez bien vous arrêter quelque part pour dormir ?

Il n'avait pas tort. Après tout, cette petite ville côtière était agréable. C'était sans doute plus sûr. Non pas que je m'inquiète de ma sécurité. J'étais enfin en vie. Adieu la prudence. Je regardai le mystérieux inconnu devant moi. Il n'était pas rassurant. Pas le moins du monde.

— Bonne idée. Et vous pourriez peut-être m'indiquer le meilleur endroit où passer la nuit.

Woods

Je surveillais la petite voiture rouge dans mon rétro-viseur. Della me suivait à la sortie de la ville jusqu'à un restaurant mexicain où l'on servait de très bons plats. Ici, plus aucun risque de croiser quelqu'un de ma connaissance.

Ce soir, le but était d'oublier le stress permanent qu'était devenue ma vie. Mon père me poussait de plus en plus à faire mes preuves. Je n'avais aucune foutue idée de ce qu'il attendait de moi. Non, c'est faux. Je connais-sais ses projets. Il voulait que je me marie. Et il avait déjà sélectionné l'heureuse élue : Angelina Greystone. Depuis ma naissance, mon père avait tout mis en œuvre pour attacher le nom de Kerrington à celui de Greystone. Il ne perdait pas le trophée des yeux. Chaque année, nous passions une semaine à Hawaï avec les Greystone et mon père m'avait incité à me rapprocher d'Angelina. À passer du temps avec elle. Bon sang, il nous avait tel-lement poussés qu'on avait fini par coucher ensemble à quinze ans. Je croyais que j'étais son premier jusqu'à ce que je couche avec une vraie pucelle et que je me rende compte qu'Angelina avait menti. Cette année-là, j'étais peut-être vierge, mais elle ne l'était certainement pas. Ça m'avait dégoûté de cette jolie blonde. Au fil du temps, plus elle devenait glamour, plus je la fuyais comme la peste. Elle voulait me mettre le grappin dessus. Je savais que le jour viendrait de faire plaisir à mon père, mais je le repoussais le plus possible. J'y étais arrivé jusqu'à ce qu'Angelina déménage plus au sud, dans la maison de bord de mer de ses parents. Mon père était de plus en plus insistant.

Il fallait que je prenne du recul par rapport à tout ça et que je profite de cette nana au visage d'ange et sacrément bien foutue.

Timorée de prime abord, elle s'était vite révélée libérée et insouciante, et je n'étais pas du genre à bouder une partie de plaisir. Son corps et ses grands yeux bleus offraient un bon aperçu. Mieux encore : elle n'avait pas l'intention de rester dans les parages. J'allais m'autoriser une petite distraction sans avoir à me la coltiner ensuite, puisqu'elle reprendrait la route.

Le souvenir de son cul bien en évidence dans son minishort m'émoustilla. Della Sloane était exactement ce dont j'avais besoin ce soir.

Je bifurquai sur le gravier du parking d'El Mexicano et me garai à l'arrière du bâtiment pour que personne ne repère mon pick-up. Ce soir, on ne me dérangerait pas. J'allais tirer mon coup. Et ça resterait un coup d'un soir.

Je descendis de mon véhicule et observai Della sortir de sa voiture. Elle ne portait pas de soutien-gorge sous son dos-nu noir. Sa paire de seins aguicheurs tendait le tissu. Bon sang, la nuit allait être mémorable. Pas de doute, elle voulait la même chose. Elle s'était carrément frottée contre moi quand j'avais ouvert le réservoir de la voiture. Cette nana-là savait ce qu'elle faisait et s'y prenait à merveille.

— Excellent choix. J'adore la cuisine mexicaine, dit-elle en me souriant.

J'observai ses hanches onduler tandis qu'elle s'approchait de moi. J'étais à deux doigts de renoncer au dîner pour foncer direct à la chambre d'hôtel. Les boucles naturelles de sa chevelure noire tombaient juste en dessous de ses épaules. J'étais sûr et certain que ses longs cils noirs étaient le produit de bons gènes et non pas celui d'un emballage. J'avais croisé mon lot de femmes aux faux cils pour détecter que les siens étaient authentiques.

— Tant mieux, répondis-je en m'avançant vers elle pour la guider à l'intérieur d'une main sur le creux de ses reins.

Une fois la commande passée, Della but une gorgée de margarita et me sourit.

— Alors, Woods, qu'est-ce que tu fais dans la vie ?

Je n'avais pas l'intention de dire la vérité. Je n'aimais pas donner trop d'informations sur ma vie à une fille qui n'allait pas rester dans le paysage.

— Je travaille dans la gestion.

Guère perturbée par ma réponse évasive, Della continua de sourire en sirotant sa boisson acidulée.

— De toute évidence, tu n'es pas prêt pour les questions sérieuses. Ça me convient. Si tu me disais ce que tu aimes faire ?

— Jouer au golf, quand j'ai le temps, et inviter des nanas super sexy à manger mexicain, répliquai-je avec un sourire en coin.

Della rejeta la tête en arrière en éclatant de rire. Elle était totalement désinhibée et n'essayait pas de m'impressionner. C'était rafraîchissant. Lorsqu'elle posa de nouveau le regard sur moi, ses yeux pétillaient.

— Qu'est-ce qui te fait le plus peur ?

Quelle drôle de question.

— Je ne pense pas avoir peur de quoi que ce soit.

— Bien sûr que si. Tout le monde a peur de quelque chose, affirma-t-elle avant de lécher le sel sur le rebord de son verre.

Que pouvait-elle bien craindre ? Elle ne laissait rien paraître.

— Devenir comme mon père, répondis-je sans réfléchir.

J'en avais trop dit. Je ne l'avais jamais avoué à personne.

Une expression lointaine glissa sur son visage et elle regarda fixement au-dessus de mon épaule.

— C'est étrange. Ma plus grande peur est de devenir comme ma mère.

Elle cligna rapidement de ses grands yeux bleus et retrouva le sourire. Où que son esprit se soit évadé, elle était désormais revenue. Elle n'avait pas envie de penser à sa mère et je pouvais le comprendre.

— Et toi, qu'est-ce que tu aimes faire ? lançai-je pour détourner la conversation sur un sujet plus léger.

— Danser sous la pluie, rencontrer des gens, rire, regarder des films des années 1980, et chanter, énumérat-elle avant d'avaler une nouvelle gorgée.

À ce train-là, si je ne faisais pas attention, elle allait se prendre une cuite.

Deux margaritas plus tard, elle appuyait sa poitrine contre mon bras en riant à toutes mes blagues. Je la coupai dans son élan : elle était pompette juste comme il fallait. Je ne voulais pas qu'elle soit complètement saoule.

— Veux-tu que je t'accompagne à l'hôtel et que je t'aide à chauffer le lit ? proposai-je avec un large sourire en glissant une main entre ses jambes.

Elle se figea d'abord puis les écarta lentement pour me laisser sentir la moiteur de sa culotte. Elle en

avait autant envie que moi. J'en avais la preuve. J'avançai la pointe du doigt jusqu'au pli mouillé. Elle se mit à
trembler.

Elle commença à gigoter contre ma main en fermant
les yeux. Sa bouche s'entrouvrit d'un air comblé. Bon
sang, elle était réceptive.

— C'est ça que tu veux ? lui murmurai-je à l'oreille.

Je glissai un doigt dans sa culotte et ressentis son désir
chaud et humide.

— Oui, répondit-elle dans un soupir. Uniquement si
tu promets de me faire jouir.

Nom de Dieu. J'arrachai la main de sa culotte et
empoignai mon portefeuille. Je fis claquer un billet
de cent dollars sur la table. Pas le temps d'attendre
l'addition.

Je voulais exactement ce qu'elle faisait miroiter. Et
pour ce qui était de la faire jouir, je ferais le nécessaire
pour qu'elle s'évanouisse de plaisir à force d'atteindre
l'orgasme. Ne jamais lancer ce type de défi à un Kerrington. Nos résultats surpassent les attentes.

Elle n'était pas en état de conduire. Je m'occuperais
plus tard de récupérer sa voiture, car je n'avais pas le
temps d'y penser dans l'immédiat. J'ouvris la portière
de mon pick-up et la poussai à l'intérieur avec plus de
force que prévu. Ses grands yeux bleus s'arrondirent de
surprise et je m'arrêtai pour reprendre mon souffle et
réfléchir à la situation. Je ne devrais peut-être pas continuer. Cet éclat de nervosité qui avait traversé son regard,
s'agissait-il d'innocence ? Son corps disait une chose mais
ses yeux en disaient une autre.

Elle se mordit la lèvre inférieure et je ressentis une
folle envie de goûter sa bouche.

Au lieu de faire le tour jusqu'à la portière conducteur,
je me glissai dans le véhicule et refermai la porte derrière

moi, puis je pris son visage dans mes mains pour l'incliner parfaitement. Ma bouche recouvrit la sienne et je laissai son goût m'envahir lentement. Chacun de ses gémissements battait dans mes veines. La rondeur de sa lèvre inférieure qui frémissait d'un désir inexpérimenté me rendait fou.

Je me forçai à reculer pour la regarder droit dans les yeux.

— Tu es sûre que tu en as envie ? Sinon, il faut arrêter tout de suite.

Et on ne se reverrait jamais. Je devais m'assurer qu'elle n'était pas la jeune innocente que je ressentais dans son toucher. Je n'avais rien contre les aventures d'un soir si la fille savait à quoi s'en tenir. Il fallait qu'elle soit claire.

— Je…, hésita-t-elle avant de s'interrompre pour déglutir avec difficulté.

Ce n'est pas la réponse que j'attendais. Je commençai à reculer mais elle m'agrippa par la chemise.

— Non, attends. J'en ai envie. J'en ai besoin. Je t'en prie, continue.

Je n'étais pas convaincu. Elle n'avait pas l'air sûre d'elle.

— C'est ta première aventure d'un soir ? sondai-je, pensant que cela pourrait expliquer son comportement.

Elle secoua la tête et un petit sourire triste flotta sur ses lèvres.

— Non. Mais la dernière fois s'est mal passée. Vraiment mal. Je veux que tu me la fasses oublier. Je veux savoir ce que c'est de le faire uniquement pour le plaisir. Rien d'autre. Fais-moi du bien.

Elle n'était pas vierge. C'était une bonne chose. Un mauvais coup d'un soir pouvait dissuader plus d'une personne de recommencer. Je pouvais l'aider à oublier.

— Je vais te faire du bien, ma belle, la rassurai-je.

Je lui passai son petit haut par-dessus la tête. Elle ne portait pas de soutien-gorge. Je le savais déjà, mais la voir dénudée me coupa le souffle.

Elle gémit en se laissant retomber sur les coudes, ce qui eut pour effet de propulser sa poitrine vers moi. Une chose était certaine, j'adorais les seins. Et là, j'étais au paradis.

— Ces bébés sont une putain de merveille, m'exclamai-je avant de baisser la tête pour prendre un de ses tétons rebondis dans ma bouche.

— Oh oui, frémit-elle.

Je souris intérieurement. En général, je n'aimais pas les filles bruyantes, mais, avec elle, ça n'était pas de la poudre aux yeux. C'était vrai. Le moindre son sortant de sa bouche semblait sincère. Les deux mains sur ses seins, je passai autant de temps à les caresser qu'à les sucer. J'aurais pu faire ça toute la nuit.

— S'il te plaît, je veux te sentir en moi. Je veux jouir, supplia Della.

Je voulais la même chose, mais, si elle n'arrêtait pas ses demandes salaces, j'allais perdre les pédales.

Je tirai sa ceinture vers le bas, ôtant d'un même mouvement short et culotte. Je les jetai par terre et écartai ses jambes de mes deux mains. Elle était entièrement épilée. Trop bon. Le parfum sexy de son excitation me parvint et je grognai de plaisir. Je voulais la goûter. Je voulais d'abord ressentir dans ma bouche l'orgasme qu'elle me réclamait.

Je caressai la peau fine puis glissai un doigt au centre. Della se cambra furieusement contre le siège en cuir.

— Je vais l'embrasser, annonçai-je avant d'appuyer mes lèvres contre le clitoris gonflé en quête d'attention.

— Oh mon Dieu, gémit-elle en saisissant l'arrière de ma tête des deux mains.

Je commençai par la lécher doucement, puis de plus en plus profondément. Elle était délicieuse. J'avais goûté à plusieurs femmes, mais celle-ci était divine. J'appuyai mon nez contre son clitoris et glissai ma langue à l'intérieur. Elle referma ses mains sur mes cheveux et cria mon prénom. J'adorais ça. Probablement trop pour un simple coup d'un soir.

L'idée de ne pas la revoir me mit dans tous mes états. J'en voulais plus. Je la léchai plus intensément jusqu'à ce qu'un premier orgasme explose sur ma langue et qu'elle ne cesse de répéter mon nom. Pour la première fois depuis le lycée, je faillis éjaculer tout habillé.

Je déposai un dernier baiser sur sa peau tendre avant de me rasseoir et de déboutonner mon jean. J'aurais dû attendre la chambre d'hôtel, mais il fallait freiner mes ardeurs. Si je n'avais qu'une seule nuit avec cette fille, j'allais en profiter jusqu'à l'épuisement. J'allais la baiser une première fois pour me calmer suffisamment pour être en état de conduire jusqu'à l'hôtel le plus proche.

Je sortis un préservatif de la boîte à gants et l'enfilai avant de relever les yeux sur elle. Elle m'observait de près. Puis elle s'humecta les lèvres. Je poussai un grognement et relevai son genou par-dessus mon épaule pour pouvoir bien me mouvoir entre ses jambes.

— Quelqu'un pourrait nous voir, murmura-t-elle, le souffle encore entrecoupé par l'effet de son orgasme.

Je me mis à rire. Elle n'y pensait que maintenant.

— Les vitres sont teintées, il fait nuit et il n'y a pas de lampadaire dehors. Sans compter que la voiture est surélevée. Personne ne peut nous voir.

Elle me gratifia d'un sourire aguicheur et leva les bras au-dessus de sa tête, faisant trembler sa poitrine. On n'allait pas s'éterniser. J'y étais presque.

J'entrepris de la pénétrer lentement. Elle était étroite, tellement étroite, putain. Pitié non, pourvu qu'elle ne soit pas vierge ! Les filles de son genre n'étaient plus vierges à cet âge.

— Tu es étroite.

Elle hocha la tête en gémissant et écarta les jambes davantage.

— Je ne suis pas vierge, insista-t-elle.

O.K. Comment se faisait-il alors que j'aie envie de ralentir la cadence et de prendre le temps avec elle ? Elle était chaud bouillante. L'idée qu'elle puisse être inexpérimentée me rendait dingue. Je m'enfonçai en elle. Nous lâchâmes tous les deux un cri. Elle était incroyablement étroite mais elle n'avait pas menti. Elle n'était pas vierge, elle avait juste une chatte du tonnerre. C'était dément.

Je me retirai et elle se prépara à un nouveau coup de reins en se cramponnant à la poignée de la portière.

— Fort… s'il te plaît… encore, murmura-t-elle en haletant.

Je ne me le laissai pas dire deux fois.

Je la pénétrai encore plus profondément et ses seins rebondirent à la perfection. Je n'allais pas m'en remettre. J'allais jouir, c'en était trop.

Je glissai une main entre nous et caressai son clitoris jusqu'à ce qu'elle supplie, à bout de souffle.

— Tu aimes ça ? Quelle coquine, à me demander de te baiser plus fort, lui murmurai-je à l'oreille.

— Oh, mon Dieu, Woods, je vais jouir, s'écria-t-elle.

J'aspirai le bout de son sein dans ma bouche et le léchai tout en jouant avec son clitoris.

Elle explosa entre mes doigts et je m'accrochai au dossier du siège et au tableau de bord pour m'enfoncer en elle deux fois encore avant de la suivre dans l'extase.

Della

J'ouvris lentement les yeux et fixai le plafond. La chambre d'hôtel était silencieuse. J'étais seule. Et soulagée. Je ne savais pas trop comment affronter Woods après la nuit dernière. Une chose était sûre, je n'étais pas une salope. Pourtant, en repensant à la veille, j'avais carrément l'impression d'en être une. Je ne sais pas ce qui m'avait pris… À moins que ce ne soit la tequila. Peut-être l'alcool m'avait-il donné le courage d'obtenir ce que je désirais, mais je n'avais pas été saoule. J'avais été parfaitement consciente de ce que je faisais.

Woods avait beaucoup de charisme ; il était sexy, terriblement sexy. Je ne connaissais même pas son nom de famille.

Je me couvris le visage des deux mains et partis d'un fou rire. J'avais couché avec un homme que je venais de rencontrer. C'était complètement fou ! Au moins, il avait utilisé un préservatif chaque fois qu'on l'avait fait : dans le pick-up, dans la douche, contre la table et pour finir dans le lit. Après quoi je m'étais endormie sur-le-champ. Moi qui voulais une expérience sexuelle digne de ce nom, j'avais tout bonnement pris mon pied. Mission accomplie. Et une chose était sûre : jamais je n'oublierais Woods. J'étais partie pour vivre des expériences et, avec Woods, j'en avais connu une phénoménale.

Je me levai en m'étirant et me mis à la recherche de mes vêtements. Minute… Ma voiture. Il me fallait ma voiture. Mes bagages étaient dans ma… Allons bon, mes bagages étaient au pied du lit. Quoi ? J'avais tout laissé dans la voiture. Je tirai le drap du lit et m'enroulai dedans. Puis je m'approchai de la fenêtre et écartai le rideau. La voiture de Braden était garée devant. Woods était allé la chercher et avait porté mes bagages à l'intérieur.

Cette prévenance me fit chaud au cœur. Quitte à m'envoyer en l'air avec le premier venu, autant choisir un type qui faisait attention à moi.

Aujourd'hui

Assise dans son bureau, j'attendais Jeffery Odom, mon patron. Il m'avait envoyé un texto ce matin me demandant d'arriver au travail en avance pour qu'on parle. J'ignorais de quoi. Quinze jours auparavant, il avait commencé à flirter et puis c'était devenu plus sérieux. J'avais peur que cela ne pose problème. J'étais serveuse dans son bar. Et je n'étais que de passage.

Au cours de mon voyage, j'étais obligée de faire des étapes pour trouver du travail et gagner de quoi repartir sur la route pendant quelques semaines. J'aimais bien Dallas. C'était sympa. Jeffery était sexy et plus âgé que moi. Avec lui, je me sentais spéciale. Tout du moins quand il était là.

Au début, il ne passait qu'une fois par semaine mais, après plusieurs épisodes de drague entre nous, il était venu de plus en plus fréquemment. Le plus souvent à la fermeture. Il m'attendait dans sa voiture et m'envoyait un texto pour que je le retrouve à l'extérieur. L'idylle secrète commençait pourtant à devenir ennuyeuse. Non pas que je prenne tout ça au sérieux. Il me manquait cinq cents dollars avant de me remettre en route. Direction Las Vegas.

La porte du bureau finit par s'ouvrir et son froncement de sourcils ne me laissa rien présager de bon. J'allais peut-être passer la première pour Vegas plus vite que prévu.

— Je suis désolé de t'avoir fait venir si tôt, Della, dit-il en se dirigeant vers l'autre côté du bureau.

Il se montrait froid et distant, alors que j'avais pris une douche avec lui trois nuits plus tôt avant de finir par céder et de coucher avec lui.

Je restai silencieuse, ne sachant trop quoi répondre.

Jeffery passa une main dans ses cheveux.

— Je pense que ce serait mieux pour toi de te remettre en route bientôt. Cette histoire entre nous devient trop sérieuse et on sait tous les deux qu'elle ne va pas durer.

O.K. Il avait eu ce qu'il voulait et il n'allait même pas me laisser gagner mes derniers cinq cents dollars avant de tirer ma révérence. Il savait que l'heure de mon départ était proche. Salopard.

— Très bien, répliquai-je en me levant.

Je pouvais tout à fait me passer de ce genre de situation. J'allais m'arrêter avant Vegas et trouver un autre boulot.

— Della, dit-il en se levant en même temps que moi. Je suis désolé.

Je me contentai de rire. Il était désolé. Pas autant que moi. Je croyais qu'on était devenus amis.

En me dirigeant vers la sortie, je compris qu'il s'agissait d'un des multiples enseignements que j'étais venue chercher sur la route. On m'avait utilisée. Ça faisait partie de la vie. Sous cet angle-là, c'était plus facile à encaisser.

Je n'étais pas arrivée à la porte qu'elle s'ouvrit à toute
volée sur une grande rousse élégante au visage barré
d'un rictus de colère… qui m'était adressé.

— C'est elle ? Tu m'étonnes, on dirait une sacrée salope.
Tu l'as trouvée dans un de tes clubs de strip-tease pour-
ris ? Elle a une touche de strip-teaseuse. Nom d'un chien,
Jeff, comment t'as pu tomber aussi bas ?

J'écoutai ses mots sans trop comprendre. Je restai perplexe. Une seule chose était sûre : cette femme me détestait. Et pas qu'un peu. Je ne savais pas pourquoi, mais
c'était flagrant.

— Ça suffit, Frances. J'ai fait ce que tu m'as demandé :
je l'ai virée. Laisse-la. C'est entre toi et moi, riposta Jeffery face à la rousse furibonde.

Il me jeta un regard désolé.

Je posai de nouveau les yeux sur elle et sur la colère
bouillonnante qui menaçait d'exploser.

— Tu l'as virée donc on oublie tout ? s'écria-t-elle en
se tournant vers moi. Ça ne vous dérange pas de baiser
le père de mon futur enfant ? Ça ne vous fait ni chaud ni
froid de savoir qu'il est non seulement marié mais qu'il
va être bientôt papa ?

Une petite minute… Quoi ? Marié ?

En la dévisageant, je compris qu'il ne s'agissait pas
d'une mauvaise blague. Puis je me tournai vers Jeffery.
La vérité était là, en face de moi. Il était marié. Il avait fait
de moi une maîtresse. Oh merde…

— Tu es marié ?

Ma question était sortie comme un véritable
rugissement.

Il hocha la tête et ses épaules s'affaissèrent comme un
aveu de défaite.

Je fis un pas vers lui et m'immobilisai. Si je continuais,
j'allais le tuer à mains nues.

— Pauvre connard! Comment t'as pu… comment… tu as une femme et elle est enceinte! Je n'arrive pas à le croire. Quelle idiote. Mais quelle abrutie! Toutes les précautions, ce n'était pas pour éviter que les employés soient au courant. C'était à cause d'elle, hurlai-je en montrant sa femme du doigt. Va te faire foutre, vociférai-je avant de tourner les talons pour prendre la porte.

Avant de me tirer vite fait, je m'arrêtai. J'avais une dernière chose à dire. Je posai les yeux sur la rousse. Sa colère était retombée et son visage noyé de larmes.

— Je suis désolée. Si j'avais su, je ne l'aurais pas approché. Je le jure, affirmai-je avant de sortir et de claquer la porte derrière moi.

Lorsque je retournai au bar, mon regard croisa celui de Tripp. Il secoua la tête en poussant un soupir.

— J'avais peur que tu ne te sois acoquinée avec lui, mais je n'étais pas sûr. Je n'osais rien dire pour ne pas te froisser. J'imagine que tu n'étais pas au courant qu'il était marié.

Je me sentais sale et flouée. Je m'assis sur le tabouret à côté de lui.

— Je n'en avais pas la moindre idée. Je me sens si mal. Ce voyage me faisait tellement plaisir; maintenant j'ai juste envie de rentrer chez moi.

Tripp servait au bar du jeudi au dimanche. Il était grand et dégingandé, avec des cheveux bruns courts. Il avait un peu une attitude de nanti. Je ne savais pas vraiment quoi, mais quelque chose chez lui ne cadrait pas avec le lieu. Il avait l'air aussi peu à sa place que moi. On avait passé plusieurs soirées à discuter lors de la fermeture du bar. Je ne connaissais pas grand-chose de Tripp, mais il avait fini par devenir mon ami.

— Tu disais vouloir voir le monde. Et vivre, observat-il en me répétant mes propres mots.

— Plus trop maintenant, soufflai-je en haussant les épaules.

Tripp jeta un œil à la porte puis sortit son téléphone de sa poche.

— Tu sais quoi ? Ne rentre pas chez toi tout de suite. Donne-toi du temps pour te remettre. Fais un break dans une petite ville.

L'idée était sympathique, mais je n'étais pas sûre d'en être capable.

— Je vais appeler mon cousin. Il a le bras long sur la côte où j'ai grandi. La ville est vraiment chouette. Rien à voir avec Vegas. Mon cousin peut te dénicher un boulot jusqu'à ce que tu te sentes prête à reprendre la route. Il a des amis haut placés, conclut Tripp avec un clin d'œil.

Avant que je puisse protester ou trouver un bon prétexte, il composait le numéro de son cousin.

— Salut Jace… Ouais, je sais, ça fait un bail. C'est un peu la folie… Non, ramène-toi à Dallas et oublie cette nana qui te rend dingue au point que même ta mère te le dit.

Tripp éclata de rire et la joie se peignit sur son visage. De toute évidence, il aimait beaucoup son cousin, qui avait l'air de lui manquer.

— Écoute, j'ai un service à te demander. Pour une amie. Elle traverse une sale phase et elle a besoin de se poser un peu… Mais non, je sais bien que tu as une copine. Je ne te demande pas de l'héberger, imbécile. Elle peut loger chez moi, là-bas. Autant que quelqu'un profite de l'endroit. Touches-en un mot à Kerrington. Qu'il lui file un taf. Elle a besoin de souffler… Ouais. Tout à fait. Je suis sûr qu'il sera satisfait… Génial. Merci. On se rappelle plus tard. Je lui donne les infos et je te l'envoie.

Tripp sourit en remettant le téléphone dans sa poche.

— Tout est réglé. Un boulot bien rémunéré t'attend et tu pourras rester dans ma résidence sans rien payer. Ça fait un moment que je veux y envoyer quelqu'un pour vérifier que tout va bien. Une fois sur place, tu pourras t'en occuper. Ça me rend service. Et cerise sur le gâteau : tu vas vivre à côté d'une des plus belles plages du Sud. Tu vas trouver ta voie sous le soleil, Della !

Woods

Je faisais les cent pas devant mon bureau. De temps à autre, je jetais un œil à la bague en diamant qui trônait en plein milieu. Je savais ce qu'elle voulait dire. Je savais aussi que j'avais envie de la balancer au fin fond de ce foutu océan. Cette bague était une allusion tout sauf subtile de la part de mon père.

J'étais allé le voir la veille pour lui demander quand j'allais quitter mes fonctions de manager pour prendre ma place de vice-président du Kerrington Country Club. Et voilà sa réponse. Il fallait que j'épouse Angelina.

Merde.

Je ne voulais pas l'épouser. Elle ne me rendrait pas heureux. Le mois dernier, j'avais fini par céder et j'avais de nouveau couché avec elle. Elle s'était pointée à la maison en petite nuisette et s'était mise à genou entre mes jambes. Entre la pipe et le whisky que je m'étais descendu, je l'avais baisée plus d'une fois au cours de la nuit. Le problème, c'est que le seul moyen pour prendre mon pied avait été de me représenter les jolis yeux bleus de Della Sloane posés sur moi. Les cris de plaisir d'Angelina étaient un tue-l'amour. Elle maîtrisait l'art de la simulation. Elle n'aimait pas le sexe. Elle l'utilisait.

Je connaissais parfaitement ce genre de femme. Ça ne m'intéressait pas.

Je n'étais pas comme mon père. Je ne pouvais pas me marier pour l'argent et les relations et avoir une maîtresse sous la main. Ça me mettait toujours en rogne que mes parents soient indifférents à leur mariage foireux. Moi, ça m'avait complètement bousillé.

Si je devais m'installer avec une femme et lui être fidèle jusqu'à la fin de mes jours pour obtenir la place qui était la mienne dans le business familial, je n'étais pas sûr de vouloir en être. Mon père passait son temps à me contrôler. Qu'ils aillent se faire foutre.

Mes allers et retours incessants et mes jurons silencieux furent interrompus par un coup à la porte. J'attrapai la bague et la planquai dans ma poche. Inutile que ça se sache. Je priai pour qu'il ne s'agisse pas d'Angelina.

— Entrez, répondis-je en prenant place à mon bureau.

Jace, mon meilleur ami depuis l'internat, pénétra dans la pièce.

— Salut ! On pensait te trouver sur le terrain de golf ce matin, mais tu n'es pas venu.

J'avais besoin de parler à quelqu'un, mais je n'étais pas sûr d'être prêt. Jace me recommanderait de quitter la ville pour qu'ils se démerdent tout seuls. Lui se rebellait contre la volonté de son père depuis des années.

— J'étais occupé.

— C'est ce que je me suis dit, répondit Jace en hochant la tête, puis il prit place en face de moi. J'ai un service à te demander.

La phrase retint mon attention. Jace me demandait rarement des services. Je m'adossai à mon siège et attendis. Qu'il n'essaie même pas de me demander que Bethy, sa petite amie et une des serveuses des voiturettes-bar, termine plus tôt. On était surchargés en soirée et j'avais besoin d'elle.

— J'ai eu un coup de fil de Tripp.

Tripp, son cousin, avait deux ans de plus que nous et on avait passé une année géniale tous ensemble à l'internat avant qu'il s'en aille. Je ne l'avais pas vu depuis qu'il avait mis les bouts cinq ans auparavant.

— C'est vrai ? Comment va-t-il ?

J'étais curieux de savoir. J'avais toujours adoré Tripp. Il avait refusé de se plier aux exigences de ses parents, lui aussi, et il était parti, tout simplement. Sans jamais se retourner.

— Ça a l'air d'aller, répondit Jace avec un haussement d'épaules. Il est à Dallas, maintenant. Il faut que j'aille le voir. Il n'est pas venu à Boston pour Noël avec le reste de la famille. Je ne pense pas qu'il repasse dans le coin de si tôt. Oncle Robert lui en veut à mort.

J'imaginais sans problème que Robert Newark puisse être en rogne contre son fils unique. Il était censé hériter de la prestigieuse étude d'avocats Newark & Newark dans la ville de Destin, en Floride. Son grand-père avait fondé le cabinet à partir de rien. Mais Tripp n'avait pas voulu devenir avocat. Il voulait découvrir le monde.

— Bref, il m'a parlé d'une de ses amies qui a eu une histoire avec le patron de leur bar puis a découvert qu'il était marié. Elle a besoin de quitter la ville pour se remettre et tout le tintouin. Il m'a demandé s'il pouvait l'envoyer ici. Il dit que c'est une excellente serveuse, ponctuelle, qui bosse dur. Apparemment, elle est canon et les clients lui lâcheront des bons pourboires. Il lui laisse son appart, comme il est vide tout le temps, mais il lui faut du boulot.

J'avais toujours besoin d'une bonne serveuse.

— Bien sûr. Envoie-la-moi quand elle arrive.

— Merci, dit Jace d'une voix soulagée. Je n'aime pas demander, mais il avait l'air de se faire du souci pour elle. Il m'a appelé deux fois aujourd'hui pour s'assurer que je prépare tout pour son arrivée. Je ne voulais pas lui faire faux bond.

— Je comprends. Pas de problème. Et dis à Tripp de m'appeler la prochaine fois qu'il a besoin d'un service. Ça me ferait super plaisir d'avoir de ses nouvelles.

Jace venait à peine de partir lorsque la porte s'ouvrit sur Angelina. Elle rejeta sa longue chevelure blonde par-dessus son épaule et me gratifia d'un sourire. De ce sourire contrefait qui me gonflait. Elle passa sa langue sur le pourtour de ses lèvres en sautillant jusqu'à mon bureau.

— Tu m'as manqué. Je n'ai aucune nouvelle de toi depuis la semaine dernière. On a pourtant passé un bon moment au seizième trou.

J'avais accepté de disputer la dernière partie de golf de la journée avec Angelina. Comme ça, mon père me lâcherait un peu et elle serait contente. Mais je ne m'étais pas attendu à ce qu'elle se frotte contre moi et me fasse des avances tout du long. Quand pour la dernière fois elle avait glissé une main dans mon short en me disant qu'elle avais envie de moi, je l'avais penchée en avant, j'avais pris appui des deux mains contre un arbre et je l'avais baisée par-derrière. Comme ça, je n'avais pas à me tartiner ses simagrées de plaisir. Elle faisait ça pour que je l'épouse. Tel était le souhait de son paternel et elle faisait tout pour lui. Aussi simple que ça.

Après, j'avais terminé la partie. Depuis, je l'évitais.

— J'ai été très pris, répliquai-je froidement.

Elle fit semblant de ne pas comprendre, se planta entre mes jambes et se pencha en avant pour m'offrir une vue dégagée sur son décolleté. On ne pouvait pas dire qu'elle avait des seins. Si on devait se marier, je lui en paierais des tout neufs.

— Toute peine mérite salaire, susurra-t-elle en se laissant tomber à genoux tout en me caressant. Je peux faire redescendre la pression, proposa-t-elle en commençant à déboutonner mon pantalon.

La dernière fois que les choses étaient allées trop loin, je m'étais senti coupable. Je l'utilisais. Évidemment, elle m'utilisait elle aussi, mais je n'étais pas obligé de tomber aussi bas. C'était mal. Si un jour je l'épousais, ce serait uniquement parce que j'y étais contraint et forcé. Il n'y avait aucune raison de poursuivre cette mascarade. J'avais besoin de temps pour réfléchir à la situation.

— Angelina, arrête. J'ai du travail. Pas maintenant, martelai-je en résistant à l'envie de l'envoyer valdinguer.

— Rien ne t'empêche de travailler pendant que je m'occupe de toi. En te donnant un avant-goût de ce qui t'attend pour le restant de tes jours.

Nous savions tout les deux qu'une fois les vœux de mariage prononcés, le sexe deviendrait une corvée. Elle trouverait des excuses pour se défiler et les fellations au bureau appartiendraient au passé.

— Ne me prends pas pour un con, Angelina. Je sais ce que tu fais et pourquoi. À la seconde où on sera mariés tu feras tomber le masque.

Un éclair de ressentiment traversa son regard. Je m'étais contenté d'être honnête. Il était temps qu'elle s'y mette aussi.

— Ce n'est pas juste pour faire plaisir à mon père que j'ai envie de t'épouser. Tu me plais. Comme à toutes les femmes, non? La différence entre elles et moi, c'est que je suis à la hauteur. On se complète. Tu peux lutter autant que tu veux pour garder ta vie de playboy, je ne te lâcherai pas. Je veux la bague que ton père a achetée et je veux ton nom de famille. Le sexe entre nous serait incroyable si tu laissais faire les choses. Je ne serai pas toujours la salope qui te fait fantasmer. Profites-en pendant que ça dure. (Elle se redressa et lissa sa jupe.) Tu sais où me trouver quand tu seras prêt à admettre que la situation est parfaite. Toi et moi.

Della

Je me garai à la station-service où j'avais rencontré Woods à peine quatre mois plus tôt. Le point de départ de mon voyage. Quelle ironie que l'itinéraire de Tripp me ramène sur mes pas. Je n'étais même pas certaine que Woods habite dans le coin. Il m'avait conduite en dehors de la ville pour dîner et trouver un hôtel. Peut-être n'était-il lui aussi que de passage ce jour-là. Ou peut-être allais-je le revoir.

Et s'il était marié ?

Non, il ne fallait pas penser à cela. Je n'allais pas juger tous les hommes à partir de Jeffery. Ce n'était pas juste. Tripp, par exemple, n'avait rien à voir avec Jeffery. Il me prêtait son appartement gratuitement du moment que je faisais un brin de ménage. En plus, il m'avait trouvé un boulot.

Je jetai un œil au papier entre mes mains. Tripp m'avait donné le numéro de téléphone de Jace pour que je le contacte une fois installée. Il me décrocherait un rendez-vous avec M. Kerrington.

Je repris la route et négociai les deux derniers virages avant de m'arrêter le long d'une copropriété située face à l'océan. Je vérifiai l'adresse que m'avait laissée Tripp. Il devait y avoir une erreur. La ville était huppée et ces résidences devaient coûter une fortune. Tripp en possédait-il une ?

L'impression que j'avais eue que Tripp, qui conduisait une Harley, n'était pas à sa place à bosser comme barman se confirma. Il était bien plus qu'il ne laissait paraître aux gens de Dallas.

Je sortis mon téléphone de mon sac pour appeler Tripp. Pas de réponse.

Je composai alors le numéro de Jace. Au bout de la troisième sonnerie, une fille décrocha.

— Euh, oui… Je… je m'appelle Della Sloane. Je suis une amie de…

— De Tripp! hurla-t-elle dans le combiné. On t'attendait. Je suis ravie que tu aies fait bonne route. Tu t'es installée chez Tripp?

J'étais sûre que Jace était un garçon.

— Euh, non, pas exactement. Je viens d'arriver. C'est splendide ici mais je crois que je me suis trompée.

— Non, m'assura la fille en riant. Non, tu es au bon endroit. J'en conclus que tu ne sais pas grand-chose sur Tripp. Crois-moi, chérie, il peut se le payer. Oh, moi c'est Bethy, la copine de Jace. Il est sorti.

Je l'aimais bien, elle était très chaleureuse.

— Si tu me dis que c'est là, je vais trouver l'appart et défaire mes bagages. Il faudrait que Jace contacte M. Kerrington pour que je le rencontre.

— Oh, inutile. Il a dit à Jace que tu pouvais venir quand tu voulais. Il cherche de nouvelles serveuses. Tu as de quoi noter? Je vais t'expliquer comment y aller.

C'était sans doute le plus bel appartement que j'aie jamais vu. À en croire Tripp, l'endroit était délabré, comme s'il avait grand besoin que j'y habite. Mais, de toute évidence, le ménage était fait régulièrement. Tout était impeccable. Je défis mes bagages puis sortis sur le balcon surplombant le golfe du Mexique. La vue était magnifique. Tripp avait vu juste. J'avais besoin de cette parenthèse. Je pourrais travailler et profiter de cet endroit. Ce seraient les vacances à la plage que je n'avais jamais eues enfant. Je m'étais toujours demandé si le sable était aussi blanc et l'eau aussi bleue qu'à la télévision.

La réponse était oui.

Le sourire aux lèvres, je me laissai glisser dans la chaise longue et étendis les jambes confortablement. J'appelai Braden.

— C'est pas trop tôt ! Tu es où ? Toujours à Dallas ?

La voix joyeuse de Braden me donna un peu le mal du pays. À moins que ce ne soit qu'elle seule qui me manque. Après tout, je n'avais pas laissé grand-chose derrière moi. Si ce n'est des gens qui murmureraient toujours dans mon dos d'un air sidéré.

— Non. Dallas, c'est fini. En fait, Jeffery est marié.

Elle en eut le souffle coupé.

— Oh non ! C'est horrible, Della ! Je suis désolée. Et maintenant, où es-tu ? Tu veux que je vienne te chercher ? Rassure-moi, tu vas bien ? Tu n'as pas d'idées noires…

Elle n'acheva pas sa phrase. Je savais qu'elle détestait me poser cette question, mais franchement, à part Braden, qui d'autre aurait pu s'en assurer ? Elle connaissait toute l'histoire, en tout cas l'essentiel. Personne ne savait tout. Je ne pouvais pas tout partager. Certaines choses devaient rester secrètes.

— Ça va. Je suis de retour en Floride. Je loge chez Tripp, le barman dont je t'ai parlé. Il m'a branchée sur un boulot dans sa ville natale et m'a prêté son appart. Avec vue sur le Golfe. Je suis assise sur le balcon devant une plage de sable blanc.

— Waouh ! Ça a l'air merveilleux. Veinarde ! J'adorerais revoir le Golfe. Et Tripp a l'air vraiment sympa. Le jour où tu as de nouveau la bougeotte, tu pourrais retourner à Dallas pour le remercier, lança-t-elle d'un ton malicieux.

— Tripp est un ami, c'est tout. Je le remercierai, mais en lui envoyant une carte et de l'argent ou un petit quelque chose.

— Tu as raison. Je t'ai incitée à fréquenter des hommes et voilà le résultat. C'est ta chance de vivre ta vie. Inutile de t'attacher. Le monde s'ouvre à toi.

— Tout à fait. Et j'ai bien l'intention de l'explorer après avoir profité du soleil et du sable fin pendant un petit moment.

— C'est quoi, ce nouveau boulot?

— Je ne sais pas exactement. Il faut que je rencontre le patron. Il m'attend. C'est dans un country club, ça devrait être une expérience intéressante. Rien à voir avec le bar.

— C'est le moins qu'on puisse dire. Rappelle-moi une fois que tu as décroché ce travail. J'ai hâte que tu me racontes tout.

Après s'être dit au revoir, nous raccrochâmes. Braden m'avait toujours permis de garder un lien avec mes racines. Avec mon passé. Tout ce que j'avais traversé et surmonté.

La nuit où j'avais rencontré Braden avait changé ma vie. Jusqu'alors, je ne connaissais personne d'autre que ma mère. Elle m'interdisait de répondre à la porte pour réceptionner des colis ou des livraisons de course. Je devais me cacher dans le placard sans faire de bruit jusqu'à ce que la personne à l'entrée soit partie. La fascination de Braden à mon égard était parfaitement réciproque. Elle m'avait posé des questions auxquelles je n'avais pas pu répondre pendant longtemps. Je ne pouvais révéler à quiconque le problème de ma mère. Même enfant, j'en avais conscience.

Je repoussai ces souvenirs auxquels je ne voulais pas penser pour l'instant et me dirigeai vers la chambre que j'avais investie. L'appartement en comptait deux, dont une avec un lit à baldaquin king size et un Jacuzzi ; c'est celle que j'avais choisie. Je sortis ma nouvelle jupe (une jupe courte à imprimé rosé) et un débardeur en mailles que j'avais acheté pour aller avec. Après m'être coiffée et maquillée, j'enfilai une paire de mules à talons. Mon boulot m'attendait.

Woods

Je détestais le management. Mon père espérait m'avoir à l'usure. Il savait que je haïssais cet aspect du travail et que je méritais un meilleur poste. C'était son instrument de torture pour me forcer à épouser Angelina. Et ça marchait, nom d'un chien.

En poussant les portes de la cuisine pour gérer le dernier drame en cours, je tombai sur Jimmy, le responsable du bar, les mains sur les hanches, en train de fusiller du regard la nouvelle serveuse, Jackie ou Frankie – ou je ne me souviens jamais de son nom. Les bras croisés sur la poitrine, elle le toisait d'un air fumasse.

— C'est quoi ce bordel? Je vous entends vous engueuler en cuisine alors que vous êtes censés servir en salle. Quelqu'un m'explique ou je fous tout le monde à la porte? sermonnai-je d'une voix suffisamment maîtrisée pour ne pas être perçue dehors.

— Voilà le problème : c'est elle. Tu as embauché une feignasse. Elle prend une pause clope toutes les dix minutes et s'il faut encore que je m'occupe d'une de ses tables parce qu'elle a laissé traîner sa commande en cuisine depuis plus de cinq minutes, je vais péter un plomb. Tu m'entends? C'est elle ou moi.

Je n'allais pas virer Jimmy. Il faisait tourner la cuisine. C'était le préféré de notre clientèle féminine. Même si elles ignoraient que lui préférait la clientèle masculine. On prenait soin de garder le secret pour qu'il récolte de bons pourboires.

Je me tournai vers la nouvelle :

— Je croyais avoir été clair quand je t'ai embauchée sur le fait qu'il n'y avait pas de pause cigarette. Jimmy décide des pauses. C'est lui le boss en cuisine.

La fille poussa un soupir, puis retira son tablier d'un coup sec et le jeta par terre.

— Je peux pas bosser dans ces conditions d'esclavage. J'avais besoin d'une pause, mais comme je suis moins rapide que lui monsieur s'énerve. Qu'il aille se faire voir. Moi, je me tire.

Parfait. Je n'avais pas besoin de la virer ni de gérer une crise de larmes. Le seul problème est qu'il me fallait une autre serveuse. *Presto*.

— Je suis ravi qu'elle soit partie, mais il va falloir du renfort, souligna Jimmy.

— Essaie de tenir la barre jusqu'à ce que je t'envoie quelqu'un.

Je sortis de la cuisine et m'apprêtai à regagner mon bureau lorsque j'entendis un claquement de talons hauts derrière moi. Bon sang non, pas Angelina, pitié ! Je n'étais pas d'humeur. À moins qu'elle ne meure d'envie de servir les clients en salle, il valait mieux qu'elle me foute la paix. Je fis volte-face pour lui balancer ses quatre vérités mais les mots restèrent coincés dans ma gorge.

Ce n'était pas Angelina. C'était Della. Elle était encore plus appétissante que dans mon souvenir, et j'avais bonne mémoire. Je me repassais le film pratiquement tous les jours. De préférence sous la douche.

Sa chevelure sombre, qui semblait plus longue, retombait d'un côté sur son épaule. Elle portait un haut blanc serré qui laissait peu de place à l'imagination étant donné sa poitrine. Et une jupe courte et des talons qui rendaient ses longues jambes bronzées encore plus sexy. Qu'est-ce qu'elle faisait ici ?

— Woods ?

Je relevai les yeux de l'inspection minutieuse de son corps jusqu'à son regard perplexe.

— Della.

Était-elle venue me chercher ? Pourquoi avait-elle l'air si surprise ?

— Qu'est-ce que tu fais là ? demanda-t-elle en esquissant un sourire ravi.

Je ne lui avais jamais donné mon nom de famille. Volontairement. Notre aventure n'avait aucun avenir. Même si au cours des quatre derniers mois je m'en étais voulu de ne pas lui avoir laissé mon numéro. Je me demandais où elle était et si elle allait revenir dans les parages. Et la voilà devant moi. Dans mon country club.

— Cet endroit appartient à mon père, expliquai-je en scrutant son visage.

Ses yeux s'arrondirent et elle se mit à jeter des regards alentour comme si elle découvrait le lieu pour la première fois.

— C'est toi, M. Kerrington ?

— Ça dépend. Mon père aussi s'appelle M. Kerrington. Normalement, on m'appelle Woods.

Della laissa échapper un rire léger.

— Incroyable. Je suis censée te voir pour un boulot. C'est Tripp qui m'envoie.

Tripp. C'était elle, la fille ? À qui il donnait un coup de pouce ? Pas possible ! Qu'est-ce que Jace avait dit sur elle ? Un problème avec son boss, un truc dans le genre. Mince, j'avais oublié.

— C'est bien moi, en effet, répliquai-je.

Pour tout un tas de raisons, c'était une très mauvaise idée. Je n'avais vraiment pas besoin de ce genre de distraction. Je devais faire face à mon père et à Angelina. Croiser Della tous les jours allait m'embrouiller les idées.

— J'espère que ça ne posera pas de problème. Il n'a jamais mentionné ton prénom. Il disait systématiquement Kerrington pour parler de toi, précisa-t-elle d'une voix inquiète qui m'arracha de mon combat intérieur.

— Euh, ouais, eh bien, viens dans mon bureau. On va remplir les papiers et voir à quel poste te mettre.

Un poste loin de moi. Le plus loin de moi possible. Je devrais expédier ses jolies fesses sur un autre continent. Au lieu de quoi j'allais lui donner un travail. Ici, dans mon club. Pour mieux me torturer en repensant à notre nuit totalement hallucinante. Et merde…

Je ne la laissai pas me rattraper pour éviter qu'elle ne marche à ma hauteur. Je risquais de sentir son odeur et de la coller contre le mur pour mettre mes mains partout sur elle. Je la précédai à grandes enjambées sans me retourner. Au bruit de ses talons, je savais qu'elle me suivait.

Enfin arrivé à mon bureau, j'ouvris la porte et reculai pour la laisser entrer. Je retins ma respiration jusqu'à me tenir suffisamment éloigné d'elle.

— Woods, la situation n'a vraiment pas l'air de te plaire. Je suis désolée. Je ne savais pas. Je ne savais même pas où Tripp m'envoyait. Il m'a expliqué l'itinéraire jusqu'ici. Il fallait absolument que je parte, alors je me suis mise en route. Je peux trouver un travail ailleurs si tu trouves ça bizarre.

Le petit froncement inquiet qui retroussait son nez me fit flancher. Je n'allais pas y arriver. Je ne pouvais pas me montrer dur ou froid avec elle. J'allais lui donner ce foutu boulot, celui qu'elle voulait, puis j'allais soigneusement l'éviter. Je devrais peut-être faire ma demande à Angelina. Ça m'empêcherait de commettre l'erreur de courir après Della à la première occasion.

— Je suis désolé. Ça ne pose pas de problème. Je viens tout juste d'avoir des soucis avec des employés et j'ai dû gérer un drame en cuisine. Tu m'as surpris. Mais tu peux travailler ici si tu veux. Dis-moi ce que tu sais faire.

À part baiser comme une reine.

Della se leva sur sa chaise et mes yeux glissèrent sur ses seins. Le contour granulé de ses tétons fit se redresser totalement mon sexe. Elle était excitée. Elle aussi se souvenait.

— J'ai été serveuse dans un bar à Dallas. J'ai enchaîné ce genre de boulots. C'est facile, les pourboires sont bons et je ne suis pas obligée de rester dans le coin trop longtemps.

Je hochai la tête. C'est vrai, elle était en voyage. Elle n'allait pas prendre racine à Rosemary Beach. Elle ne voulait pas d'une relation. Elle partait à l'aventure.

— Tu veux être serveuse ici? La clientèle est moins difficile que dans un bar et une de mes employées a démissionné juste avant ton arrivée.

Je n'étais pas du tout en train de l'éloigner. Au contraire, j'étais en train de me la coller juste sous le nez. Quel con.

— Merci. Ce serait idéal. Tu veux que je commence tout de suite, vu qu'il te manque quelqu'un? J'apprends vite.

Non, j'avais besoin qu'elle retourne dans l'appartement de Tripp pour que je puisse me calmer.

Un coup à la porte ne me laissa pas le temps de répondre et Jimmy passa la tête dans mon bureau.

— C'est en train de partir en vrille. (Ses yeux tombèrent sur Della et il lui sourit.) Salut ma jolie. Pitié, dis-moi que tu es ici pour travailler.

Della lui lança un sourire éblouissant et hocha la tête.

— Parfait. Je peux la prendre ? demanda Jimmy en ouvrant la porte en grand.

Je voulais lui rétorquer non, que je n'en avais pas encore fini avec elle. J'envisageais encore de l'allonger sur mon bureau pour remonter sa jupe et voir ce qu'elle portait en dessous.

— Bien sûr. Emmène-la. Elle a de l'expérience, ça ne devrait pas être sorcier de la mettre dans le bain.

Della se leva et me sourit une nouvelle fois.

— Merci.

Puis elle rejoignit Jimmy qui referma la porte derrière eux.

J'appuyai ma tête contre le siège en cuir en poussant un soupir.

Je ne devais pas oublier que Della allait bientôt repartir. Elle n'allait pas s'attarder. Hors de question de perdre tout ce pour quoi j'avais travaillé. Il était temps de me concentrer sur Angelina. Peut-être que cet obstacle entre Della et moi m'éviterait de faire des bêtises. Parce que Della était susceptible de tout me faire perdre. Après quoi elle prendrait la tangente.

Aussi parfaite et délicieuse avait-elle été, je ne pouvais pas laisser mon désir pour elle changer ma vie. Angelina rendrait mon père heureux. Je serais vice-président et cette saloperie de management serait de l'histoire ancienne. Je n'avais pas le choix.

Della

— Ne touche pas cette assiette, Della. C'est à ton frère. C'est son plat préféré. Tu le sais bien. Pourquoi essaies-tu systématiquement de jeter sa nourriture ? Pourquoi, Della ? Pourquoi tu lui fais ça ? Sois gentille, Della. Sage et gentille.

— Mais maman, ça sent mauvais. C'est là depuis longtemps et les mouches...

— TAIS-TOI ! TAIS-TOI ! Va dans ta chambre. On ne veut pas de toi ici. Tu n'arrêtes pas de te plaindre. Va dans ta chambre. Dans ta chambre, file.

— Maman, s'il te plaît... On va lui préparer une nouvelle assiette. Celle-ci est un peu vieille. Ça empeste dans toute la maison.

— Il veut que tu la laisses tranquille. Il va venir la manger. Va dans ta chambre, Della. Va chanter une jolie chanson. Ça fera plaisir à tout le monde.

Je n'avais pas envie de chanter. Je voulais me débarrasser des aliments pourris. Je secouai la tête et fis mine de protester lorsqu'elle m'agrippa par le cou et se mit à me secouer.

— Je t'ai dit de chanter, Della ! Ne touche pas à la nourriture de ton frère. C'est la sienne, maudite fille. Espèce d'égoïste, explosa-t-elle dans la voix haut perchée que j'avais apprise à craindre.

Je tirai sur ses mains en me débattant pour respirer. J'étais en train d'étouffer. Elle m'étranglait. Un filet humide glissa *sur ma joue. En levant les yeux, je vis du sang me dégouliner dessus. Son sang à elle. Le sang de ma mère. Je regardai mes mains ; elles étaient couvertes de sang. Je me retournai pour appeler au secours, mais il n'y avait personne. J'étais toute seule. Toujours toute seule.*

Je me redressai d'un bond dans mon lit tandis que mon hurlement me déchirait la poitrine. J'ouvris les yeux et inspectai le lieu inconnu dans lequel je me trouvais. À travers la grande baie vitrée face à moi, les rayons du soleil matinal scintillaient sur la surface de l'océan. Je serrai la couette dans mes mains et pris plusieurs inspirations profondes. Je n'étais pas dans cette maison-là. J'étais en sécurité. Tout allait bien. Le corps tremblant, je m'assis en silence pour observer la beauté qui m'entourait.

Je ne savais pas si mes souvenirs finiraient par disparaître ou par me dévorer. En attendant, il fallait vivre. Chaque fois que j'envisageais de rentrer et d'abandonner ce voyage à la découverte de moi-même, mes rêves me rappelaient pourquoi je devais persévérer. Je n'avais pas beaucoup de temps. Rejetant la couverture, je me dirigeai vers la salle de bains pour me doucher. Mon T-shirt me collait à la peau tant j'avais sué pendant mon cauchemar. Je me réveillais ainsi tous les matins depuis trois ans.

Fin de ma deuxième journée au travail. Je n'avais pas revu Woods depuis notre entrevue dans son bureau. À croire qu'il m'évitait. C'était peut-être aussi bien. C'était mon patron et je savais désormais à quel point une relation avec son patron pouvait mal finir. Woods faisait sans doute tout pour laisser le passé derrière nous. Étant donné qu'il était à l'origine du tout premier orgasme pour lequel je n'avais pas eu à faire d'efforts, j'avais un peu de mal à passer à autre chose, mais j'allais y arriver.

J'étais prête à profiter de la vie et sans me préoccuper ni désirer quoi que ce soit d'inaccessible. C'était censé être un voyage agréable et sans prise de tête. Il était temps de m'y mettre. Jeffery avait sérieusement perturbé mes plans. Il m'avait aussi appris que les hommes pouvaient être des salauds. Je devais retenir la leçon.

Une brunette séduisante au sourire sincère sortit de la belle voiture garée à côté de la mienne. Le regard braqué sur moi, elle marcha dans ma direction. Elle n'était pas habillée comme les autres filles de mon âge que je voyais au club. Elle portait bas sur les hanches un slim délavé tout usé et un T-shirt Corona moulant en guise de haut. Il ne devait pas être évident de marcher dans ses talons aiguilles rouges.

— Tu dois être Della. Tu es exactement comme Tripp t'a décrite. Moi, c'est Bethy, lança-t-elle d'une voix pétillante en me tendant la main.

Je lui serrai la main, soulagée qu'il s'agisse d'une amie de Tripp.

— Oui, c'est bien moi. Ravie de te rencontrer.

J'avais envie de me faire des amis. Je ne voulais pas rester ici toute seule.

— Je suis désolée de ne pas t'avoir accueillie plus tôt. C'était un peu la folie. Woods est le meilleur ami de Jace. Tu as rencontré Woods, non?

Je me contentai de hocher la tête.

— Eh bien Woods est passé chez moi pour discuter avec Jace de… Oh, oublions. Je ne suis sans doute pas censée m'étaler sur sa vie privée. Et je doute que tu aies envie de m'entendre radoter sur le sujet. Je suis venue pour tout autre chose. (Elle s'interrompit et me lança de nouveau un immense sourire.) On organise une petite fête chez Jace ce soir. La semaine prochaine, c'est le début des vacances de printemps. Du 1er mars jusqu'à la fin d'avril. Le coin est envahi de monde. Ça me ferait plaisir que tu viennes. J'insiste même pour que tu viennes. Il faut que tu rencontres des gens. Plus tu en connaîtras, mieux ce sera. Dommage que Blaire ne soit pas là. C'est ma meilleure amie. Tu l'adorerais. Son fiancé et elle sont partis régler des affaires de famille. (Elle soupira et posa les mains sur ses hanches.) Alors, tu viens ?

J'avais prévu de retourner chez Tripp pour me promener sur la plage et peut-être lire un peu. Mais elle avait raison. Il fallait que je rencontre du monde.

— Bien sûr. Avec plaisir. C'est où et à quelle heure ?

Bethy poussa un cri aigu et se mit à applaudir.

— Génial, je suis ravie ! O.K, va te changer si tu veux et viens chez Jace aux alentours de 20 heures. Oh, et l'adresse… tu as de quoi noter ?

Je dénichai dans mon sac à main un ticket de caisse et un stylo que je lui tendis.

Elle griffonna l'itinéraire et me les rendit.

— À plus ! s'exclama-t-elle avant de s'en retourner vers sa voiture.

Je regardai s'éloigner son véhicule avant de prendre le volant à mon tour. Je n'arrivais pas à me sortir de la tête son commentaire sur Woods. Elle avait raison : elle n'aurait pas dû aborder sa vie privée, mais j'étais curieuse. Ce n'était pas une bonne idée.

J'étais arrivée à bon port. Il y avait des voitures garées partout. Je me sentais un peu intimidée mais, après tout, c'était une nouvelle expérience. J'espérais m'être habillée correctement. J'avais hésité entre un ensemble qui cadrait avec les membres du club que j'avais eu l'occasion de côtoyer ces deux derniers jours et des vêtements dans le style de Bethy. J'avais coupé la poire en deux. Avec un peu de chance, ma jupe en jean, mes bottes noires en cuir et mon T-shirt vintage Bob Marley feraient l'affaire.

Avant même que je frappe, la porte s'ouvrit en grand et Bethy me tira à l'intérieur par la main.

— Te voilà !

Je n'eus pas le temps de répondre : elle était déjà occupée à hurler sur quelqu'un qui mangeait de la sauce salsa au-dessus du tapis blanc. Je la laissai me guider à travers la maison bondée jusqu'au porche à l'arrière.

— Désolée, c'est la folie. Il y a moins de monde ici.

Deux types sirotaient des bières, assis autour d'un feu.

— Les garçons, voici Della. L'amie de Tripp. (Elle me sourit puis me montra du doigt un homme qui ressemblait tellement à Tripp que je ne fus pas surprise de l'entendre dire :) Voici Jace. (Puis elle désigna un gars avec de longs cheveux blonds bouclés et un sourire espiègle :) Et voici Thad. (Son petit air enjoué me plut d'emblée.) Et voici Grant, qui nous a fait la surprise de venir. On le croyait parti dans le Nord.

Grant était de loin le plus beau du trio. Ses cheveux noirs étaient ramenés derrière les oreilles et ses yeux pétillaient. Le sourire en coin sexy qu'il m'adressait était terriblement tentant.

— Salut, Della. Viens donc partager ma chaise, tu pourras boire une gorgée de ma bière, lança-t-il d'une voix traînante.

Je pensai refuser, puis me ravisai et le gratifiai d'un sourire avant de m'approcher.

— Tu te pousses ou je suis censée m'asseoir sur tes genoux ? répliquai-je en espérant que mon ton taquin n'était pas ridicule.

Le sourire en coin de Grant s'épanouit.

— Un peu que tu vas t'asseoir sur mes genoux.

J'essayai de déterminer si Braden y verrait un geste audacieux et décontracté ou si j'allais passer pour une salope. Je n'étais jamais sûre. Elle était ma jauge pour mesurer ce qui se faisait et ne se faisait pas. Ce qui était aussi la raison pour laquelle elle m'avait envoyée me débrouiller toute seule.

Au point où j'en étais, autant continuer. Je passai par-dessus ses jambes relevées sur le rail en fer qui encerclait le brasero et m'installai sur ses genoux.

— Il ne va pas s'attarder, ma belle. Tu ferais mieux de venir chez moi. Je ne bouge jamais d'ici, intervint Thad de l'autre côté du feu.

Grant enroula ses bras autour de ma taille et m'attira contre sa poitrine.

— T'en sais rien, Thad. J'ai peut-être trouvé une bonne raison de rester un peu.

J'étais clairement dépassée par les événements.

— Grant, vas-y mollo. C'est une amie de Tripp, le réprimanda Bethy.

Je me demandai si elle me considérait désormais comme une dévergondée.

— Détends-toi un peu, mon cœur. Laisse-toi aller et mets-toi à l'aise, murmura Grant dans le creux de mon oreille.

La douceur de son accent du Sud me réchauffa. Ce type me plaisait. Je réussis à me décontracter et à m'appuyer contre lui.

— Tiens, prends ma bière. J'en prendrai une autre la prochaine fois qu'un de ces crétins se lèvera pour une nouvelle tournée.

Je n'aimais pas particulièrement la bière. Mais je l'acceptai de peur d'être malpolie.

— Merci.

— Mais je t'en prie.

Je constatai avec surprise qu'il gardait une main
autour de ma taille et l'autre sur l'accoudoir du fauteuil,
sans chercher à me peloter. Tant mieux. Il ne partait pas
du principe que j'étais facile sous prétexte que je m'étais
assise sur ses genoux.

— Parle-nous de Tripp. Ça fait une éternité qu'on l'a
pas vu, lança Thad.

Je ne savais pas grand-chose sur Tripp. Les quelques
nuits où nous avions travaillé ensemble, nous avions dis-
cuté mais sans jamais entrer dans le détail de nos vies.

— Il va bien. Les femmes n'hésitent pas à faire des kilomètres pour venir le voir au bar. Il a des admiratrices très
dévouées. Il aime bien son boulot mais, maintenant que je
sais d'où il vient, je me demande pourquoi il reste à Dallas.

Thad lança un regard à Jace. Ils prirent une mine
solennelle. De toute évidence, ils savaient pourquoi
Tripp n'était pas parmi eux et cette raison les contrariait.
Tripp leur manquait. Je les comprenais : c'était un mec
super.

— Et que nous vaut ton arrivée précipitée depuis
Dallas ? enchaîna Grant en remontant sa main sur mon
ventre.

Son pouce s'approchait dangereusement de mon sein
gauche. Je ne savais pas trop comment réagir.

— Woods ! Il était temps.

L'exclamation de Jace me surprit. Je n'étais plus aussi
à l'aise sur les genoux de Grant. Je ne m'attendais pas à
voir Woods.

Je levai les yeux sur lui et mon cœur fit un bond
lorsque ses yeux sombres se posèrent sur moi… ou sur
Grant… ou les deux.

— Je ne savais pas que tu étais rentré, observa Woods
à l'attention de Grant, tandis que ses yeux se fixaient de
nouveau sur moi.

— Je suis rentré hier soir. Je vais peut-être rester un peu.

Ses inflexions ne semblaient pas amuser Woods, qui s'approcha de moi pour me tendre la main.

— Della, tu veux bien venir avec moi, s'il te plaît ?

Grant avait beau être séduisant, le ton grave et impérieux de Woods était irrésistible. Je glissai une main dans la sienne et il m'extirpa des genoux de Grant. Je voulus dire quelque chose à Grant, mais Woods me tira à l'intérieur de la maison sans un mot pour quiconque.

— On va où ? demandai-je en posant ma bière sur une table de peur de la renverser.

Woods resta silencieux. Il hocha d'abord la tête à l'attention de quelques personnes qui le saluèrent puis ignora tout bonnement les autres. Je devais courir pour rester à sa hauteur.

Après avoir traversé un couloir, Woods ouvrit la porte de la dernière pièce sur la gauche et me poussa à l'intérieur avant de refermer derrière lui.

Je commençais à me dire que je l'avais mis en colère lorsqu'il s'avança vers moi d'un pas décidé et me colla contre le mur. Les émotions qui se dessinaient dans ses yeux sombres me déboussolèrent. Je ne lus aucune colère. Il semblait troublé, tiraillé, peut-être même excité.

— Je suis désolé, finit-il par articuler en posant les mains à plat sur le mur de chaque côté de mon visage. J'ai été un peu brusque.

Je ne m'attendais pas à des excuses.

— O.K., lâchai-je en attendant plus d'explications.

— J'ai envie de toi, Della. J'ai envie de t'enlever cette petite jupe sexy et de m'enfoncer dans la chatte la plus étroite que j'aie jamais connue.

Ouah.

Woods baissa la tête et son souffle chaud me caressa les oreilles.

— C'est une très mauvaise idée. Mais je n'arrive pas à penser à autre chose qu'à te baiser. Repousse-moi et quitte cette pièce. C'est le seul moyen de m'empêcher de te toucher.

La nuit qu'on avait passée ensemble pimentait encore mes rêves, quand je ne faisais pas de cauchemars. Comment partir alors qu'il m'offrait de nouveau la même chose ? Pourquoi refuser ? Woods me plaisait. Non seulement il était sexy et me donnait le sentiment d'être désirée, mais il était aussi attentionné et apprécié de tous. C'était un mec bien. J'avais besoin d'affection. La majeure partie de ma vie, j'en avais cruellement manqué. Le sexe me donnait la sensation d'être proche de quelqu'un, même si c'était pendant un court moment. J'avais perdu ma virginité dans les bras d'un homme qui m'avait tenue et touchée. J'avais tellement envie d'être touchée. Mais j'avais commis une erreur. Le type en question n'avait pas été aussi prévenant que Woods. Dans les bras de Woods, c'était différent. Je désirais ardemment les sensations qu'il me procurait.

Je posai les mains sur son torse, les paumes contre les muscles durs dont j'avais léché chaque merveilleuse inflexion.

— Et si j'avais envie de rester ? Et si j'avais envie que tu retires ma jupe ? l'interrogeai-je en le fixant à travers mes paupières à demi fermées.

Mes questions étaient simples. Et honnêtes.

— Oh, bébé, murmura-t-il juste avant de recouvrir ma bouche de la sienne.

L'élan de désespoir de son baiser provoqua des palpitations dans mon entrejambe. Nos langues insatiables se délectèrent de leur danse jusqu'à ce que nos corps se rapprochent et que nos mains se disputent les vêtements qui nous séparaient. Je parvins à glisser la chemise de Woods par-dessus sa tête avant de happer la peau sombre de son téton dans ma bouche. D'un coup sec, il tira ma culotte que je dégageai sans tarder.

— Garde les bottes. Enlève tout sauf les bottes, ordonna-t-il avant de retirer mon T-shirt et d'expédier le soutien-gorge.

Dès qu'il eut fini de me déshabiller, je recommençai à embrasser son torse. Rien à voir avec Jeffery. Je n'avais jamais touché un torse comme celui de Woods.

Me prenant par la taille, Woods me souleva et me colla contre le mur en me pénétrant d'un puissant coup de reins.

— WOODS! OUI! hurlai-je tandis qu'une douleur voluptueuse me submergeait et que j'arrimais mes bras autour de son cou.

— Oh oui…! Della, je ne rêve que de ça depuis la dernière fois que j'étais en toi. Je veux y rester pour toujours. (Le souffle court, il se pencha sur moi et enfouit sa tête dans mon cou.) C'est tellement bon, murmura-t-il.

— Fais-moi jouir et tu pourras recommencer, promis-je, impatiente qu'il bouge en moi.

Je mourais d'envie d'atteindre l'orgasme. Cet instant précis où je ne savais plus où je finissais et où lui commençait. J'étais au septième ciel, et il n'y avait plus aucune place pour les mauvais souvenirs. C'était un moment de plénitude unique que j'avais bien l'intention de réitérer dans les bras de Woods ce soir. Le reste n'avait plus d'importance. Je voulais seulement ressentir du plaisir.

Woods poussa un grognement intense et commença à aller et venir régulièrement. Il lécha la ligne de mon cou et me mordit l'épaule, juste au-dessus de mon sein, à plusieurs reprises. Je le regardai faire, impatiente de me perdre le plus possible en lui. Sa langue traça un chemin jusqu'à mon téton et le titilla plusieurs fois avant de l'attirer dans sa bouche. J'étais si proche de l'orgasme.

Je commençai à chanceler. Woods s'en aperçut. Il me souleva les jambes et nous rapprocha du mur. Il leva les yeux vers les miens au moment où mon plaisir explosa et je criai son nom jusqu'à ce qu'il ne soit plus qu'un gémissement.

— Oh, Della !

L'orgasme de Woods ébranla violemment son corps et propulsa une seconde vague de plaisir dans le mien. Je réussis à m'agripper à lui et posai ma tête contre sa poitrine.

Nous étions à bout de souffle, comme après une course. J'avais réellement l'impression d'avoir couru un marathon et atteint le paradis en chemin.

Woods me caressait sur toute la longueur du dos. Ce geste apaisant le rendait encore plus attachant. Avant Braden, la nuit où j'avais trouvé ma mère morte, personne ne m'avait serrée dans ses bras. Woods m'offrait quelque chose de spécial. J'étais en quête d'affection. Non seulement Woods m'en donnait, mais il faisait disparaître tout le reste. Si je passais mes nuits avec lui, aurais-je mes perpétuels cauchemars ? Pouvait-il épuiser mon corps avec cette capacité à me donner du plaisir jusqu'à tout oublier sauf lui ?

Woods

J'étais bien décidé à la ramener chez moi cette nuit.
J'en voulais encore. La goûter encore et passer des
heures à enrouler ma langue autour de ses tétons rose
bonbon. Cette fille était une drogue. La dernière fois
qu'on avait couché ensemble, il m'avait fallu toute la
volonté du monde pour me barrer. Il fallait que je me la
sorte de la tête, même si je devais en mourir.

Elle se blottit dans mes bras et son soupir satisfait
m'excita de nouveau. Nom de Dieu, elle était irrésistible.

Je me retirai lentement avant d'être complètement en
érection, sinon j'allais continuer sans transition et il fallait que je change mon préservatif.

— Woods Kerrington, si tu es en train de faire ce que
je pense, je vais te botter le cul! Sors de là. Angelina vient
d'arriver, gronda furieusement Bethy en tambourinant
sur la porte.

Merde! Je n'avais aucune envie d'avoir affaire à
Angelina. Je voulais enfiler une autre capote et plonger
de nouveau en Della.

Della s'écarta de mon étreinte et me dévisagea, les
sourcils froncés.

— Qui est Angelina?

Bonne question! Allais-je lui mentir? Non. J'en étais
incapable. Mais lui dire la vérité excluait de remettre le

couvert. Il fallait trouver un moyen de lui expliquer la situation sans mettre un terme à... à ce qu'il y avait entre nous.

— S'il te plaît, Woods, réponds-moi, plaida-t-elle en reposant les pieds par terre et en s'écartant d'un pas.

Sans elle, je me mis à avoir froid. J'enfilai mon pantalon d'un geste sec. Elle croisa les bras sur sa poitrine dans une attitude défensive. J'eus envie de les écarter pour ne rien perdre du spectacle.

— Woods?

Elle attendait une réponse. Je me voyais mal lui mentir juste pour qu'elle continue à coucher avec moi. Pourquoi fallait-il que je sois à ce point honnête?

— C'est ma future femme.

Ça me fit mal de prononcer ces mots. L'idée d'épouser Angelina et de ne plus jamais connaître ça me donnait envie de tout balancer pour qu'ils aillent tous se faire foutre. Mais c'était impossible. Mon avenir était en jeu et Della allait bientôt partir. Je n'allais pas tout gâcher pour quelques semaines de la baise la plus torride de ma vie.

— Ta future femme? répéta-t-elle en attrapant son soutien-gorge.

J'aurais voulu l'aider à l'attacher, mais je savais bien qu'elle refuserait. Pas après cette mise au point.

— Je vais la demander en mariage demain soir au cours du dîner de charité des Delamar au club.

Della écarquilla les yeux et entreprit maladroitement d'agrafer son soutien-gorge tout en mettant de la distance entre nous deux.

— C'est pas vrai, murmura-t-elle en passant précipitamment son T-shirt avant de boutonner sa jupe pour mon plus grand désespoir. C'est pas vrai, encore la même histoire, poursuivit-elle en secouant la tête d'un air incrédule.

Je sentis l'angoisse m'envahir lorsqu'elle s'approcha de la porte. Ça ne pouvait pas finir comme ça.

— Della, attends. Laisse-moi t'expliquer, suppliai-je.

Elle secoua la tête.

— Non, arrête. J'ai compris. Je suis un coup facile. Tu t'apprêtes à te lier à une fille pour le restant de tes jours et tu m'as utilisée. Pour une dernière nuit de folies. (Elle émit un rire sec.) Je suis une proie facile. J'en ai conscience. Toutes mes félicitations pour ton mariage. J'espère qu'elle dira oui.

Je ne trouvai pas les mots pour sauver la situation. Lorsqu'elle ouvrit la porte, elle tomba nez à nez avec une Bethy particulièrement furax.

— Ça va ? Non, ça ne va pas. Suis-moi, dit-elle à Della d'une voix rassurante avant de me fusiller du regard. Comment as-tu pu faire ça ?

Je les regardai partir. Je fermai ma braguette et enfilai mon T-shirt. Le morceau de tissu rose que j'avais arraché gisait sur le sol. Elle se baladait en mini-jupe sans culotte. Merde alors. Je ramassai le dernier souvenir que j'aurais jamais de la saveur enivrante de Della Sloane et le glissai dans ma poche.

Grant me rejoignit dans le vestibule. Je lui devais mes excuses, à lui aussi. Non pas que je sois d'humeur à le faire. Il serait probablement le prochain à découvrir à quel point Della était délicieuse. Mon sang se mit à bouillonner tandis que des images de Grant en train de toucher Della jaillissaient dans ma tête.

— Qu'est-ce que tu fous, bordel ? Je croyais que tu allais demander la main d'Angelina demain soir. D'après Jace, tu as déjà la bague.

— C'est vrai, lâchai-je après un soupir frustré. C'est un peu plus compliqué que ça en a l'air. J'ai rencontré

Della il y a quatre mois. Elle était de passage en ville. Elle ne s'oublie pas facilement.

Je n'allais pas lui expliquer à quel point elle était un bon coup, ne doutant pas une seconde qu'il le vérifierait par lui-même et sachant que son cœur était trop esquinté pour qu'il aime encore un jour.

— Et tu as voulu remettre ça? Elle était au courant pour Angelina? Parce que si c'est le cas, tout baigne. Mais si elle ne savait rien, alors t'es vraiment un sacré salaud, proféra-t-il d'une voix douce entrelacée de menace furieuse.

— Ça fait de moi un sacré salaud, répliquai-je en le bousculant tandis qu'Angelina se dirigeait vers moi.

— Je t'ai cherché partout. Tu étais passé où? interrogea-t-elle.

Je pensai d'abord mentir puis décidai de ne pas la bercer d'illusion. Il lui fallait la vérité.

— J'étais en train de baiser comme une bête. Si je te demande en mariage demain à la soirée caritative, autant profiter d'un dernier bon souvenir.

La plupart des filles se seraient offusquées, mais je savais qu'Angelina ne broncherait pas. Il ne fallait pas oublier qu'il s'agissait à ses yeux d'une transaction commerciale.

— J'espère que tu as pris ton pied parce que je ne le permettrai plus une fois que j'aurai la bague au doigt, siffla-t-elle.

— C'était incroyable, répliquai-je, puis, m'acheminant vers la porte d'entrée : Allons-y.

Della

Je ne voulais pas retourner sous le porche avec Bethy. Grant arrivait vers nous et j'avais juste envie de partir. Cette fois, c'en était trop. Avec Jeffery, j'avais eu un sentiment de dégoût. Mais avec Woods… c'était douloureux. Il était différent. Du moins, c'est ce que j'avais cru. Sa manière de me toucher et de me désirer m'avait donné de l'espoir. J'avais été bête d'imaginer qu'un amant fougueux était la réponse à mes problèmes. Ce n'était que pur égoïsme. Woods n'agissait pas par pure affection. J'étais blessée. J'avais tellement eu envie de tout ça.

Je sentais mon champ de vision se brouiller ; il fallait que je m'isole. Inutile que quiconque me voie dans cet état. Je ne voulais pas que les gens me prennent par-dessus le marché pour une cinglée.

— J'aimerais juste être un peu seule, si ça ne t'ennuie pas, annonçai-je à Bethy en lui adressant un sourire désolé avant de regagner l'air froid extérieur.

Je ne pris la peine ni de me retourner ni de trouver ma voiture. Je n'étais pas en mesure de conduire. Il fallait que je trouve un endroit isolé et calme. À l'abri. J'en avais absolument besoin. Je me mis à scander « à l'abri » dans ma tête tandis que ma vision devenait de plus en plus floue. Je parvins à trouver une maison qui semblait vide et m'assis à l'arrière, tournant le dos à la route. Je repliai les jambes et calai ma tête entre les genoux. J'allais m'en sortir. C'était simplement un symptôme de mon traumatisme. En tout cas, c'est ce que les médecins ne cessaient de me répéter.

Ne sors pas, Della. C'est dangereux. Ton père est mort parce que tu es sortie. Reste ici à l'abri.
Avec moi. On sera à l'abri ensemble. Toi et moi.

Mes yeux se remplirent de larmes tandis que les mots de ma mère se bousculaient dans ma tête. J'essayai à tout prix de refouler les souvenirs. Mais lorsque j'étais fatiguée, ils resurgissaient. Ils ne se contentaient pas de peupler mes rêves.

Chut, Della, ma chérie. Tu as envie de faire du vélo, je sais, mais il peut t'arriver tellement de vilaines choses dehors. Il n'y a qu'ici que tu es en sécurité. Ne l'oublie jamais. Nous ne pouvons pas sortir, sinon il va se passer des choses terribles. Si on chantait plutôt une chanson, d'accord? Une chanson gaie qui nous protégera.

— Non, non, non, maman. Tu n'y arriveras pas. Je suis plus forte que toi. Je vais y arriver, affirmai-je en repoussant l'assaut des souvenirs.

Je n'étais pas ma mère. Je voulais vivre. Je voulais affronter le danger et connaître toutes les émotions qui allaient avec.

Je restai assise un long moment à contempler la lune. Cette lune que j'avais tant désiré découvrir. Je savais que, la nuit, je pouvais échapper à la forteresse de la maison pour voir Braden. Je pouvais me promener sur son vélo dans les rues sombres et humer l'air frais. Le ciel nocturne était devenu mon ami.

Je m'essuyai le visage du dos de la main et finis par me relever. Tout allait bien. J'avais surmonté l'épreuve toute seule. Braden n'avait pas été là pour me dire de respirer et me faire rire tout en enroulant un bras autour de mes épaules. Cette fois-ci, je m'en étais sortie sans elle. J'étais fière de moi.

Cette nuit-là, ne parvenant pas à trouver le sommeil, j'envisageai de faire mes valises et de partir. Au final, je décidai que j'en avais assez de fuir. Je ne pouvais pas me défiler à chaque épreuve. Il était temps de réagir comme tout le monde et de faire face. En attendant, il faudrait certainement que je trouve un autre boulot. Mon patron n'avait peut-être pas très envie que je continue à travailler pour lui. Je lui poserais la question. J'irais le voir, de manière très professionnelle, pour lui demander si j'avais toujours mon poste ou s'il fallait que je cherche ailleurs. Ça n'était pas la mer à boire.

Si seulement j'arrivais à oublier l'expression de son visage en plein orgasme. Bon sang. Ça allait me poser un problème. Je devais arrêter de fantasmer sur Woods. C'était mon patron. Un point c'est tout.

Le lendemain, je pris l'entrée de service du country club et me dirigeai vers son bureau. Autant m'en occuper tout de suite. M'en débarrasser une bonne fois pour toutes et arrêter de perdre du temps à y penser.

Je frappai à la porte. Pas de réponse. Je tournai les talons et remontai le couloir en direction de la cuisine lorsque Woods pénétra dans le bâtiment. Ses yeux se posèrent sur moi et je me figeai. Le seul fait de le voir était difficile. J'avais laissé nos rapports sexuels prendre une autre dimension. Je m'étais convaincue que j'avais besoin de lui. Je chassai aussitôt cette idée de ma tête.

— Bonjour, monsieur Kerrington. Je vous cherchais. Je voulais m'assurer que j'avais encore un travail. À moins que vous ne préfériez que je démissionne.

Mon ton, froid et professionnel, m'impressionna. Une lueur indéfinissable traversa le regard de Woods, qui fit un pas dans ma direction.

— Tu peux travailler ici aussi longtemps que tu le souhaites.

— Merci beaucoup.

Avant qu'il poursuive, je me dirigeai vers la cuisine sans me retourner. Lorsque les portes battantes se refermèrent derrière moi, je retrouvai enfin mon souffle. J'avais réussi. L'épisode était clos. Nous n'avions plus besoin de nous parler. Nous pouvions désormais nous ignorer.

— Ah, parfait, je bosse avec toi et pas avec Jimmy aujourd'hui. Le matin, il me rend dingue.

Affairée à nouer un tablier autour de sa taille, une fille que j'avais vue le premier jour me sourit en entrant dans la cuisine.

— Della, c'est ça? demanda-t-elle en rassemblant ses longs cheveux bruns en queue-de-cheval.

— Oui et toi, c'est… (Je baissai les yeux sur son badge :) Violet.

— T'as triché! dit-elle en riant. Mais c'est pas grave, on ne s'est rencontrées qu'une fois. Je prends les tables de droite de sept à quatorze. Et toi celles de gauche de un à six. La clientèle de la rangée de droite est plus difficile le matin. Beaucoup d'habitués. On ne va pas te jeter dans la gueule du loup tout de suite.

— Merci.

— Je t'en prie. J'ai envie que tu restes. On n'arrive pas à garder les serveuses compétentes.

Je m'en sortis avec un seul oubli : le sirop de Liège pour les tartines de la table trois. Heureusement, personne ne m'en tint rigueur et je récoltai un bon pourboire. À Dallas, les hommes de plus de soixante ans se montraient rarement aussi généreux. J'allais boucler mon service lorsque Violet arriva, le sourire aux lèvres.

— Tu as tiré le gros lot. Trois membres du fameux quatuor sont assis à leur table habituelle, la deux. Comme Woods n'est pas là, ils vont en profiter pour flirter. En plus il y a Grant, donc fais-toi plaisir. Ils sont trop craquants. Allez, je file. Mes tables sont prêtes et Jimmy va arriver pour le service de midi.

D'un bond, elle passa la porte et je me retrouvai seule. Je n'étais pas prête à faire face à Grant et aux autres. Je n'avais pas encore digéré la nuit précédente.

J'eus de nouveau envie de fuir. Il fallait que ça cesse. J'attrapai mon plateau et ma carafe d'eau glacée et m'approchai d'eux. Thad, Grant et Jace, en grande discussion, ne me prêtèrent pas attention. Tant mieux.

Grant leva les yeux sur moi et me gratifia du sourire langoureux dont il avait le secret.

— Ça me fait plaisir de te voir parmi nous ce matin.

Il savait. Merde. Tout le monde était-il au courant ?

— Je fais mon boulot, répliquai-je. Qu'est-ce que je vous sers ?

— Cet uniforme te va comme un gant, observa Thad, penché en avant, les yeux rivés sur ma poitrine.

— La ferme, le rabroua Grant en lui lançant un regard de dégoût. Un café, noir.

— Café pour moi aussi, avec de la crème et un sucre, enchaîna Jace.

— Un grand verre de lait, dit Thad.

— Apporte-lui plutôt un biberon, il a l'air d'en avoir besoin, lança Jace en levant les yeux au ciel.

— Je veux bien être son bébé si elle me le demande. Un bon gros bébé, répliqua Thad avec un clin d'œil.

— Quel crétin, lâcha Jace en secouant la tête.

Je n'attendis pas la suite des commentaires. Je filai en cuisine pour préparer la commande. Mieux valait ne pas rentrer dans le petit jeu de Thad. Il était mignon, mais j'avais le sentiment qu'il pouvait devenir lourd.

Lorsque je retournai à leur table, Woods s'était joint à eux. Je me parai d'un sourire poli et servis les autres.

— Monsieur Kerrington, je vous sers quelque chose ?

Je réussis à ne pas détourner les yeux de Woods mais remarquai le haussement de sourcils de Grant.

— Un café, noir, merci, répondit-il en me prêtant à peine attention avant de retourner à sa conversation avec Jace.

— Et messieurs, vous avez fait votre choix ?

Grant se pencha en avant. J'étais bien contente de pouvoir me concentrer sur lui. Je me sentais ridicule à éviter de regarder du côté de Woods.

— Je ne sais pas pour eux, mais moi je meurs de faim, dit Grant. Je vais prendre un hamburger, à point, et demande à Juan de rajouter sa sauce spéciale.

— Pareil pour moi, enchaîna Thad.

Je m'obligeai à tourner la tête vers Jace et Woods.

— Bethy m'a préparé un petit déjeuner tardif, déclara Jace. Un café, ça ira.

L'idée de m'adresser à Woods me nouait l'estomac. Je détestais me sentir mal à l'aise en sa présence. Mais c'était mon patron. Je me parai de mon sourire de façade et tournai les yeux vers lui :

— Et pour vous ?

Woods croisa brièvement mon regard avant de répondre :

— Rien, merci, j'ai rendez-vous pour le déjeuner.

Avec sa fiancée, à coup sûr. Je hochai la tête et retournai en cuisine.

— Je me l'enverrais bien, commenta Thad tandis que je m'éloignais.

— Ta gueule, coupa Grant.

Je parvins à rapporter son café à Woods en évitant toute nouvelle interaction.

Lorsque Jimmy arriva d'un pas nonchalant, je poussai un soupir de soulagement.

— Jimmy, je te file la moitié de mes pourboires de la journée si on échange nos tables.

Jimmy haussa un de ses sourcils parfaitement épilés et me dévisagea comme si j'avais perdu la raison.

— Ma poulette, hors de question que je prenne la moitié de tes pourboires. C'est quoi le problème ?

Je n'avais pas envie de lui parler de Woods. Je réfléchis une seconde puis répondis :

— Ces types me stressent et je n'aime pas servir M. Kerrington. S'il te plaît, suppliai-je.

Il leva les yeux au ciel et noua son tablier.

— D'accord. On échange mais je prends de un à sept. Tu prends de huit à quatorze. Comme tu es encore nouvelle, il faut que tu assures plus de tables.

— Bien sûr, merci.

— Je crois que tu vas me plaire. Il était temps que Woods embauche une serveuse avec qui j'aime bien bosser.

Son compliment était agréable. J'avais l'impression d'être à ma place.

Woods

De la fenêtre de mon bureau, je regardai la voiture rouge de Della s'éloigner. Je pouvais difficilement me mentir et prétendre que ma présence à la fenêtre au moment où elle partait était une coïncidence. Je connaissais son emploi du temps. Je savais que son service était terminé et je m'étais posté là piteusement pour l'observer partir. J'avais très peu dormi, tracassé à l'idée qu'elle ne s'en aille sans un mot après la nuit précédente.

Lorsqu'à mon arrivée au club elle était venue me voir en m'appelant M. Kerrington pour s'assurer qu'elle avait toujours son poste, j'avais été sacrément soulagé ; je n'avais pas réussi à lui présenter correctement mes excuses.

Et puis j'avais décidé que c'était aussi bien ainsi. Soyons réalistes, rien d'autre n'était possible entre nous. Elle me mettait sur la touche et je devais la laisser partir. Pour elle comme pour moi. C'était le meilleur moyen de m'empêcher d'imaginer quelque chose que je ne pourrais pas obtenir.

Derrière moi, la porte s'ouvrit sans un bruit et je n'eus pas à me retourner pour deviner de qui il s'agissait. Une seule personne entrait dans mon bureau sans frapper.

— Bonjour, père.

Gamin, je l'idolâtrais. Désormais, une partie de moi le haïssait.

— Woods, je suis venu m'assurer que tout est en place pour ce soir. Howard et Samantha seront là. Ils attendent votre annonce. Je n'ai pas l'intention de décevoir Howard Greystone.

Il savait que je le ferais à contrecœur ; et voilà qu'il se pointait pour souligner l'importance de l'événement.

— Rien n'a changé, répondis-je.

Cette affirmation allait beaucoup plus loin que ce qu'il voulait bien entendre. Rien n'avait changé : il contrôlait toujours tout, je ne supportais toujours pas l'idée de me marier à Angelina et il n'en avait toujours rien à foutre.

— Bien. Ta mère est d'ores et déjà en train d'organiser le mariage avec Samantha. Elles l'organisent depuis que vous êtes enfants. Il ne s'agit pas uniquement d'assurer notre avenir et la pérennité de ce qu'a construit ton grand-père ; il s'agit aussi de faire plaisir à ta mère. Elle adore Angelina. Tout va très bien se passer. Tu verras. Sans nous, tu ne te serais jamais marié.

La raillerie dans sa voix ne m'échappait pas. Pourtant, il n'y avait rien d'amusant à ce que mon père et ma mère s'attendent que je sacrifie mon bonheur pour le leur.

— Au moins, ça fait une heureuse, lâchai-je froidement.

— Une fois marié et assis dans ton nouveau bureau avec vue sur le dix-huitième trou, le titre de vice-président gravé sur ta porte, tu seras heureux, toi aussi. Pour le moment, tu te contentes de bouder comme un enfant capricieux. Je sais ce qu'il te faut pour réussir et Angelina Greystone en fait partie.

J'étais incapable de le regarder. La rage qui me dévorait risquait de se lire dans mes yeux. Le bruit de ses pas s'éloigna et la porte se referma derrière lui. Je n'étais pas sûr de pouvoir un jour lui pardonner ça. À moins que je ne me le pardonne jamais à moi-même. Quel homme laissait quelqu'un d'autre contrôler sa vie ? Son avenir ?

Angelina avait fait le tour de pratiquement toute la salle pour exhiber l'alliance que j'avais glissée à son doigt devant tout le monde plus d'une heure auparavant. Elle était surexcitée et tous gobaient le morceau. À croire qu'on était follement amoureux. Mes talents d'acteur étaient moindres. Je restai à proximité du bar à écluser des shots de whisky.

— Elle est canon. Quitte à te caser, au moins tu as pris l'option beauté et argent. C'est déjà ça. Mais tu as l'air prêt à trucider le premier malheureux qui s'approcherait de toi, remarqua Jace en s'installant à côté de moi au bar.

Angelina était belle, d'une beauté froide et classique. Elle était élégante, raffinée et manipulatrice.

— Je ne me réjouis pas des masses d'être la nouvelle marionnette de mon père, pestai-je, la langue engourdie par l'alcool.

— Je veux bien te croire, acquiesça-t-il en finissant mon verre de whisky. Tu devrais y aller mollo.

— Probablement, mais ça voudrait dire affronter ça sobre.

Jace poussa un soupir.

— Je n'avais pas l'intention de mettre ça sur le tapis, mais il s'est passé quoi avec Della la nuit dernière ?

Je soulevai mon verre et l'agitai à l'attention du barman.

— Rien, mentis-je.

Jace eut un petit sourire en coin.

— Ce n'est pas ce que raconte Bethy. Apparemment tu n'avais pas de chemise et ton jean était déboutonné.

Il avait fallu que Bethy lui donne des détails.

— J'ai rencontré Della il y a quatre mois. On a passé une nuit ensemble, une nuit vraiment, vraiment géniale.

Quand elle est de nouveau apparue hier, j'ai perdu la tête. Voilà ce qui s'est passé.

— Merde alors, lâcha Jace avec un sifflement sourd.

Il ne croyait pas si bien dire. Tout ça, c'était de la merde : le mariage, mon père, le boulot qui était censé me revenir sans conditions. Ma vie était merdique. Et puis il y avait Della, douce, sexy, drôle, mais je ne pouvais pas la toucher. Désormais, elle m'était interdite.

— Impossible d'oublier le goût de sa peau.

Ma langue ivre se déliait. Fort heureusement, Jace était le seul à m'entendre.

— Le boulot avec ton père en vaut la peine ?

Je savais que, pour lui, j'étais un trouillard. Que je n'avais pas les tripes pour saisir ma liberté.

— Je ne suis pas comme Tripp. Je ne peux pas tout plaquer. Contrairement à lui, je veux cette vie. Je veux ce boulot. Il me revient, nom de Dieu.

Jace hocha la tête et attrapa le nouveau whisky que je m'apprêtais à descendre.

— Je t'ai dit d'y aller mollo. Sortons quelques minutes. L'air frais de la nuit t'aidera à dessaouler suffisamment pour parler aux invités et donner l'impression que tu veux réellement ce boulot qui conditionne ton existence.

Je lui embrayai le pas. C'était une excellente idée.

— Où est Bethy ? demandai-je en cherchant des yeux sa douce moitié.

— En cuisine avec Della. Elle n'avait pas envie de venir ce soir et m'a demandé de travailler à la place.

Della était là ? Je m'arrêtai à l'extérieur de la salle de réception et jetai un œil vers la cuisine. Della était toute proche. Je voulais faire mes excuses. M'expliquer. Dire quelque chose.

— Il faut que j'aille trouver Della. Je veux qu'elle comprenne, affirmai-je en me dirigeant vers la cuisine.

La main de Jace se referma sur mon épaule.

— Non, mon pote. C'est une très mauvaise idée. Tu es fiancé et Della est ton employée. Tu dois poser des limites.

— C'est ce que j'ai fait en passant la bague au doigt à Angelina. Je veux juste m'expliquer. Elle ne comprend pas.

Je l'avais baisée, après quoi je lui avais dit que j'allais me marier et elle s'était tirée. Je revoyais sans cesse l'expression sur son visage. Ça me tuait.

— Et à quoi ça va servir? À rien. Laisse-la tranquille.

Il ne pouvait pas comprendre. Je secouai la tête et me dirigeai vers la cuisine.

— Je crois qu'elle plaît à Tripp. Je crois qu'il rentrera pour elle. Il n'a sans doute pas vraiment réfléchi quand il l'a envoyée ici, mais il avait d'autres raisons. Il n'a jamais laissé personne vivre dans son appart. Della est différente.

Je me figeai, pris d'une douleur dans la poitrine et le ventre. Tripp et Della? Il était libre de faire le tour du monde avec elle. Il n'avait ni responsabilités ni but dans la vie. Il faisait ce qu'il voulait. Comme Della.

Je pris appui contre le mur et fixai la porte de la cuisine. À quoi bon expliquer toutes ces conneries? Ça n'allait rien changer. Je n'étais pas celui qu'il lui fallait. Nous ne voulions pas la même chose dans la vie et le sexe hallucinant ne durerait pas *ad vitam aeternam*.

Les portes de la cuisine s'ouvrirent à la volée. Macy Kemp, ma responsable en événementiel, sortit en tirant Della par le poignet et s'avança vers moi d'un pas décidé. J'ouvris la bouche pour lui ordonner de lâcher Della, mais Macy avait déjà pris la parole.

— Le chanteur est allergique aux fruits de mer. Personne ne me l'a dit, Woods. Personne. Sans quoi on ne lui aurait pas servi les sauces et les salades. (Elle secoua la tête et poussa un juron.) Cet imbécile vient de partir en ambulance, mais il va s'en sortir. Je m'en suis occupée, tout va bien se passer.

Elle se remit en marche en tirant Della derrière elle. L'expression angoissée sur le visage de Della me fit sortir de mon état éméché et paumé. Je n'aimais pas la voir bouleversée, et puis pourquoi Macy la traînait-elle comme ça?

— Tu fais quoi avec Della? m'enquis-je.

Macy regarda Della puis me sourit.

— Je cherche quelqu'un pour chanter. Le groupe ne peut pas jouer sans. J'étais en mode désastre lorsque j'ai entendu cette demoiselle pousser la chansonnette dans les toilettes en se lavant les mains. Elle en a dans le gosier.

Macy n'aurait pas dû le formuler ainsi. Mon pantalon devint soudain trop serré et le visage de Della vira au cramoisi. Je n'arrivais pas à détacher mes yeux d'elle.

— Tu vas chanter? demandai-je.

Elle haussa les épaules.

— Oui, elle va chanter, embraya Macy. Quand je dis que je l'ai entendue chanter et que je cherche quelqu'un pour chanter, c'est pourtant clair, non? D'abord, je vais la fringuer un peu mieux que ça. Faut qu'on file. Dis à ton père que le concert commencera dans dix minutes.

Marcy poursuivit son chemin, Della se précipitant dans son sillage.

— En gros, elle va chanter à ta soirée de fiançailles, observa Jace derrière moi.

— Ce n'est pas ma soirée de fiançailles, grommelai-je.

— Tu viens de te fiancer et toute la salle parle de ton mariage. Ça y ressemble un peu, quand même.

— Ta gueule, Jace.

Della

Si j'avais pu me sortir de cette situation sans démissionner, je n'aurais pas hésité. À la maison, j'avais toujours chanté. Dans le but d'échapper à ma mère et à la réalité. Mais jamais devant des gens. J'adorais chanter : le miroir et la brosse à cheveux m'avaient accompagnée la majeure partie de ma vie tandis que je me produisais devant un public imaginaire.

Je n'étais même pas sûre de chanter juste. Ma mère adorait m'écouter, mais ça n'était pas vraiment un critère.

J'avais commencé à expliquer tout ça à la femme qui s'était présentée sous le nom de Macy Kemp, mais elle ne m'avait pas laissé le loisir de parler. Au lieu de cela, elle avait informé mes collègues en cuisine qu'on avait besoin de moi ailleurs et m'avait traînée derrière elle.

Je m'étais attendue à ce que Woods, en me voyant, mette un terme à cette absurdité, mais non. Il avait semblé aussi désorienté que moi, mais n'avait pas levé le petit doigt.

Je détaillai la robe courte moulante de teinte argentée que j'avais enfilée. Dos nu avec un décolleté plongeant. J'avais l'impression d'être à nu. Dans tous les sens du terme.

— Ils ne feront pas vraiment gaffe à toi. Ils sont trop absorbés par leur petite troupe élitiste. Tu chantes pour qu'ils aient un fond sonore et puissent danser s'ils en ont envie, m'expliqua Macy en me faisant monter l'escalier *manu militari* vers les musiciens qui me dévisageaient d'un air dubitatif – je ne pouvais pas leur en vouloir.

— C'est toi la remplaçante ? demanda l'un d'eux dans un sifflement teinté d'agacement.

— Au moins, ils seront trop occupés à la mater pour entendre notre son pourri, grommela l'autre en passant la bandoulière de sa guitare par-dessus sa tête.

— Tu sais chanter quoi, chérie ? s'enquit un troisième au crâne chauve.

J'avais envie de fuir. Je n'avais rien demandé. Je ripostai à chacun de leurs coups d'œil furieux. Je les avais entendus plus tôt. Ils n'étaient pas si bons que ça. Pour qui se prenaient-ils à me traiter comme si j'allais foutre en l'air leur existence ? Si leur chanteur avait pensé à ses allergies, on n'en serait pas là.

Je passai devant chacun d'eux avant de me planter devant celui qui m'avait demandé d'un ton condescendant si je savais chanter.

— Je peux chanter n'importe quoi, lançai-je avant de monter sur la scène telle la diva que je n'étais pas.

La mélodie familière de *Someone Like You* d'Adele commença ; j'étais à la fois soulagée de connaître les paroles et morte de trouille parce que la popularité de la chanson attirait l'attention des invités. Moi qui espérais qu'on allait m'ignorer…

J'accompagnai le piano sur les premières paroles mélancoliques.

Au lieu de fixer l'assemblée, je plongeai mon regard dans celui du pianiste. Ses yeux se mirent à briller d'encouragement, d'excitation et de soulagement à mesure que la chanson avançait.

Comme quand j'étais petite dans ma chambre, je fis abstraction de tout ce qui m'entourait pour me perdre dans les paroles et la musique. C'est ainsi que j'avais pu surmonter la folie de ma vie. À cet instant, je m'en servais pour affronter la réalité.

La soirée continua avec *Ain't No Other Man* dans la version de Christina Aguilera. L'air entraînant chauffa un peu la salle. Jusqu'ici, j'avais réussi à ne pas croiser le regard de Woods, bien que je sache exactement où il était. Je sentais ses yeux sur moi.

— Tu sais harmoniser ? me demanda le guitariste.

Je hochai la tête et il fit signe aux autres musiciens.

Just a Kiss de Lady Antebellum commença.

Nous étions arrivés sans encombre au pont lorsque j'aperçus Woods danser avec une grande blonde élégante. Il fallait absolument que je détourne le regard. Le voir et imprimer une image d'eux deux ensemble allait me rendre folle. Pourtant, je restai scotchée. Elle lui souriait tout en bavardant tandis qu'il fixait le vide par-dessus son épaule. Il avait l'air froid. Rien à voir avec le mec que j'avais connu.

Il dut sentir mes yeux peser sur lui car il tourna la tête dans ma direction et nos regards se croisèrent. Chaque mot que je chantais lui semblait destiné. À la fin de la chanson, j'arrachai mon regard du sien en me jurant de ne plus jamais l'orienter dans sa direction.

Une heure plus tard, j'avais réussi à enchaîner tout ce qu'on m'avait mis sous la dent. Même les tubes de Bruno Mars. Le pianiste me gratifia d'une tape dans le dos et d'un sourire radieux tandis que je quittais la scène.

— Tu as assuré grave, chérie, me lança le bassiste chauve.

— Tu viens chanter avec nous quand tu veux. C'est pas avec JJ que je vais faire un duo, renchérit le guitariste.

Je me retournai et leur souris par-dessus l'épaule. Je n'avais pas l'intention de traîner. J'avais besoin de me retrouver seule. Le spectacle de Woods tenant sa fiancée dans ses bras n'avait pas été de tout repos. Elle était superbe. Parfaite. Protégée par son étreinte. Je connaissais ce sentiment. Woods dégageait cette sensation de sécurité. Je l'enviais.

Les vacances de printemps battaient leur plein à Rosemary Beach. Bethy n'avait pas exagéré. La ville était bondée. Je travaillais cinq jours par semaine et la plupart du temps j'assurais deux services par jour. J'étais bien payée et je m'entendais bien avec mes collègues. Et croiser Woods était devenu moins difficile.

Nous parvenions à nous comporter l'un envers l'autre avec une indifférence polie. Parfois, j'avais l'impression qu'il me regardait mais, lorsque je me retournai, je me rendais compte de mon erreur ; ça me faisait mal. Je ne savais pas trop pourquoi je me torturais autant. Il n'avait aucune raison de me regarder. Il était fiancé. Mais mon corps, qui ignorait à quel point Woods était un territoire interdit, désirait son regard.

Aujourd'hui, j'avais enfin une journée de repos. Bethy aussi. Nous avions projeté d'aller à la plage. Je me faisais une joie de passer la journée au soleil. La température avait augmenté depuis mon arrivée quinze jours plus tôt. Bethy voulait que je passe à son appart qui donnait sur la plage privée du club. Il y aurait moins de monde. J'avais proposé à Violet de nous rejoindre après le service de midi et Bethy avait invité une autre serveuse, Carmen, qui finissait plus tard.

Je jetai un œil au dernier SMS reçu en m'arrêtant le long des appartements où habitait Bethy :

À la plage, je t'ai réservé une place !

J'attrapai mon sac de plage sur la banquette arrière et sortis de la voiture. Le bâtiment qui se dressait devant moi me laissa sans voix. C'était la crème de la crème : propriété du country club, il devait coûter une fortune. Ce n'est pas avec son salaire de serveuse que Bethy pouvait se payer un endroit pareil. Soit elle s'était arrangée en tant qu'employée du club, soit Jace l'aidait à assurer le loyer. Peut-être un peu des deux.

Je m'approchai de la promenade puis descendis sur le sable chaud. Il y avait plus de monde que ce que j'imaginais. Je chaussai mes lunettes de soleil et entrepris de trouver Bethy. Je l'aperçus lorsqu'elle se leva pour me faire un grand signe de la main.

Le sourire aux lèvres, je me dirigeai vers les deux serviettes bariolées étendues sur le sable. Lorsque Bethy se rassit, j'aperçus Jace derrière elle, ainsi qu'une autre serviette, vide, bien qu'ayant de toute évidence été utilisée.

— Je suis super contente que tu aies pu venir ! s'exclama Bethy avec un grand sourire. Ta serviette est là. Celle-ci appartient à Thad. Il est allé se baigner.

C'était donc Thad. Je pouvais gérer. J'aurais préféré Grant, mais Thad ferait l'affaire. Tant que ce n'était pas Woods. Mais je me doutais bien qu'il ne se dorait pas la pilule au soleil pendant le travail.

— Merci de m'avoir invitée, répondis-je en posant mon sac dont je sortis mon écran solaire.

— Attends un peu avant de me remercier. Je ne m'attendais pas à ce que Thad se joigne à nous. Tu vas peut-être regretter d'être venue. J'espère qu'il va te laisser tranquille.

Je souris. Thad n'avait pas dû laisser beaucoup de femmes tranquilles dans sa vie. Je retirai ma tunique et m'installai sur la serviette rose et jaune moelleuse que Bethy avait installée pour moi.

— Je ne me suis encore jamais baignée dans l'océan, avouai-je en faisant pénétrer la lotion et en observant les gens dans l'eau. J'avais peur qu'elle ne soit encore trop froide, mais elle a plutôt l'air bonne.

Bethy émit un petit rire.

— Elle est gelée. Je n'y mets pas un orteil avant la mi-mai. Mais plein de gens aiment l'océan à cette période. Si tu ne l'as jamais fait, tu devrais essayer.

J'en avais envie. Cela faisait partie des choses que je voulais expérimenter. J'avais aussi envie de faire du surf, mais j'étais à peu près sûre qu'il fallait des vagues plus hautes que ça.

— Vas-y, je ne te retiens pas ! m'incita Bethy.

Je lui souris et me redressai pour parcourir les quelques mètres qui me séparaient de l'eau.

Le premier clapotis qui recouvrit mes pieds était glacial. Je réprimai un cri en m'efforçant de ne pas reculer. Mes orteils s'enfoncèrent lentement dans le sable humide et, au bout d'une minute, l'eau n'était plus si froide. Je m'avançai jusqu'à ce que l'eau m'arrive aux chevilles.

— C'est plus facile de surmonter le choc initial si tu y vas en une seule fois, lança une voix familière derrière moi.

Comme quoi Woods se rendait à la plage de temps à autre. Je lui jetai un œil par-dessus mon épaule. J'étais bien contente d'être retranchée derrière mes lunettes de soleil.

— Tu crois ça ? demandai-je.

Il se tenait sur le rivage, en short de bain blanc, torse nu. Le contraste entre sa peau mate baignée par le soleil et le tissu blanc lui donnait l'air encore plus bronzé. Un vrai scandale – pour les femmes qui se trouvaient à la plage. Il n'avait pas le droit de se promener comme ça.

— C'est le seul moyen. Si tu avances petit à petit, tu n'y arriveras jamais.

Pourquoi avait-il décidé de m'adresser la parole aujourd'hui ? Il m'ignorait depuis le soir où il m'avait annoncé qu'il allait se marier. Pourquoi maintenant ? Je détournai mon regard sur l'eau en évitant de penser à ses abdos luisant sous l'effet de l'huile solaire. Il était fiancé. Toute pensée coquine était interdite.

— Tu veux que je t'accompagne? demanda-t-il, sa voix plus proche.

Je tournai de nouveau la tête d'un mouvement sec et le vis faire plusieurs pas dans ma direction. À quoi jouait-il?

— Ce n'est sans doute pas une très bonne idée. Je préfère y aller seule, répliquai-je la gorge serrée.

— Tu ne t'es jamais baignée dans l'océan? interrogea-t-il tandis que son bras effleurait mon épaule.

Voilà qu'il était beaucoup trop près.

— Non, murmurai-je en priant pour qu'il s'en aille très, très loin.

Woods en eut le souffle coupé. Je levai les yeux sur lui. Son regard était posé sur mon corps. Malgré ses lunettes de soleil, je pouvais en ressentir l'intensité. Mauvais plan. Très mauvais plan.

— Sérieusement, bébé, qu'est-ce que tu as fait du reste de ton maillot de bain?

Le reste de mon maillot de bain? Je baissai les yeux pour m'assurer que j'étais couverte. Qu'est-ce que ça voulait dire? Je n'avais rien oublié!

— Tout est là, répliquai-je.

Woods baissa la tête, ses lèvres s'approchant dangereusement de mon oreille.

— Ce haut te couvre à peine, murmura-t-il.

— Si ça ne te plaît pas, tu n'as qu'à regarder ailleurs, rétorquai-je en lui lançant un regard noir avant de m'enfoncer dans l'eau.

Il m'importait plus de m'éloigner de lui que de m'acclimater à la température de l'océan.

— Je n'ai jamais dit que je n'aimais pas. J'adore. C'est bien le problème.

Je me figeai sur place. Ça l'amusait vraiment ?

— Tu ne peux pas me dire des choses comme ça. C'est injuste, dis-je sur un ton furibond.

Woods s'approcha de nouveau. J'attendis. Puisqu'il voulait la confrontation, j'allais la lui offrir.

— Tu as raison, je ne devrais pas. Tu préférerais que je te mente ? Jamais je ne t'ai menti, Della. Je ne veux pas te mentir. Je pourrais te faire croire que je me fiche de toi ou que je n'ai pas envie de toi, mais ce serait un mensonge. Tu veux la vérité ? La vérité c'est que je pense sans arrêt à toi. J'évite de te regarder parce que je ne pense qu'à une chose, te coincer au club dans le premier débarras venu pour t'embrasser partout, lâcha-t-il le souffle court, la mâchoire serrée.

Pourquoi ? S'il avait à ce point envie de moi, pourquoi était-il fiancé à quelqu'un d'autre ?

— Je ne te comprends pas, concédai-je en secouant la tête, les bras croisés sur ma poitrine dans une attitude défensive.

Il eut un petit sourire en coin.

— Personne ne me comprend. Mais j'aimerais m'expliquer. Je t'en prie. Viens prendre un verre avec moi. J'ai besoin que tu comprennes.

La tactique était différente, mais le fond n'avait pas changé. Il voulait s'amuser avec moi. S'offrir du bon temps avant de se mettre avec une autre nana. Je n'étais pas comme ça. Je secouai la tête et commençai à sortir de l'eau. Je préférais la sécurité de la plage.

— Tu ne me laisses même pas m'expliquer ? cria-t-il dans mon sillage.

— La bague à son doigt est la seule explication dont j'ai besoin, répliquai-je en faisant volte-face.

Woods

Il fallait que je passe les commandes que Juan, le chef cuisinier, avait posées sur mon bureau la veille. J'avais des coups de fil à donner et une fiancée déterminée à ce que je choisisse une date pour notre mariage. Est-ce que je m'occupais de tout ça ? Non. À la place, je me torturais l'esprit.

Le haut de bikini de Della était minuscule et Thad était sur le point de perdre l'usage de ses mains. La mâchoire serrée, je détournai les yeux du spectacle de Thad en train d'appliquer de la crème solaire sur le dos et les épaules de Della. Thad avait réussi à la faire entrer dans l'eau avec lui. J'étais resté assis à observer chaque seconde insoutenable de la scène. Ses éclats de rire et le besoin incessant qu'avait Thad de la toucher avaient fait bouillir mon sang de jalousie. Je n'avais pas le droit d'être jaloux. On avait baisé, un point c'est tout. Je ne savais rien d'autre à son sujet. Mais j'en avais envie.

Je me demandais d'où elle venait. De toute évidence du Sud. Je voulais savoir si elle avait des frères et sœurs. De qui tenait-elle ces yeux bleus que j'avais vus se voiler de plaisir ? Est-ce qu'elle aimait danser ? Où avait-elle appris à chanter ? Elle m'avait complètement bluffé pendant la soirée caritative. Il y avait tant de choses que je ne saurais jamais.

— Tes épaules virent au rouge. J'étais persuadé que, vu ta peau, tu ne craignais pas le soleil, observa Thad.

Malgré mes efforts, je n'arrivais pas à m'empêcher de regarder les épaules de Della. Thad avait raison, elles rougissaient.

J'allai au stand de location.

— Donne-moi un parasol, lançai-je au jeune gars que j'avais embauché à peine deux semaines plus tôt, avant l'invasion des vacanciers.

— Oui, monsieur. Voulez-vous que je l'installe dans le sable pour vous, monsieur ?

— Je m'en occupe, merci.

J'empoignai le parasol. Mes yeux se braquèrent sur ceux de Della tandis que je me retournais dans sa direction. Elle me regardait avec curiosité. Thad lui murmurait des mots à l'oreille mais elle ne lui prêtait pas attention. Elle était entièrement focalisée sur moi.

— Pousse-toi, ordonnai-je à Thad, lui laissant à peine le temps de s'exécuter avant de planter le parasol profondément dans le sable pour éviter qu'il ne s'envole.

— L'ombre n'ira jamais jusqu'à toi, observa Bethy avec un sourire en coin.

— Ce n'est pas pour moi.

— Oh, c'est pour moi ? Comme c'est gentil, mais je suis en plein bronzage, répliqua Bethy avec malice.

— Dans ce cas, bouge. C'est pour protéger les épaules de Della.

Voilà, c'était dit. Bethy m'avait forcé à cracher le morceau. Della en penserait ce qu'elle voulait.

— Tu es allé le chercher pour moi ? s'enquit-elle d'une voix surprise.

Je relevai les yeux une fois le parasol solidement ancré.

— Ouais, lâchai-je en guise de réponse avant de ramasser ma serviette.

Il était temps de partir. Elle ne voulait pas de moi et je n'avais rien à faire ici.

— Merci, dit-elle tandis que je m'éloignais en hochant la tête sans me retourner.

— Tu t'en vas ? interrogea Jace.

— J'ai du boulot.

— N'oublie pas vendredi soir au Sun Club, conclut Bethy en lançant un sourire à Jace qui gloussa d'un petit rire.

C'était l'anniversaire de Jace et Bethy avait décidé de marquer le coup par une nuit de fiesta dans la seule boîte de la ville. Elle avait privatisé l'endroit avec l'aide de Grant qui connaissait le propriétaire. La soirée était sur invitation.

— Je ne raterais ça pour rien au monde, répondis-je.

Une nuit de karaoké passée à boire et danser n'était pas du goût d'Angelina. Mais j'avais fait mon devoir en l'invitant. Elle avait aussitôt décliné en invoquant l'excuse qu'elle devait se rendre à New York pour essayer sa robe de mariée. Ça prendrait plusieurs jours, ce qui m'arrangeait parfaitement.

Bethy s'était totalement lâchée sur la déco. Des verres à shot collés sur une grande planche en bois dessinaient le nombre « vingt-quatre ». Une petite diode éclairait chaque verre et le résultat était très sympa. J'échangeai quelques mots avec des invités en passant. Mais c'est Della que je cherchais.

Je voulais essayer une nouvelle fois de lui parler. La voir rire et bavarder avec Thad et Grant comme de vieux potes me tuait. Je voulais partager ça, moi aussi. Je savais qu'elle ne sortait avec aucun des deux, mais ils apprenaient à la connaître. Lorsque Grant m'avait dit qu'elle voulait s'initier au golf, j'avais été jaloux qu'il sache quelque chose de personnel sur elle. Quelque chose que moi j'ignorais.

— Tu sais, Woods, une fois fiancé, on est censé se pointer avec sa promise aux soirées, railla Bethy en se plantant devant moi avec un shot de ce qui ressemblait à du whisky.

— Elle devait aller à New York, répliquai-je en prenant le verre.

— Hum, intéressant, lâcha Bethy avant de s'en aller.

J'éclusai le shot et le posai sur le bar. Della sortit des toilettes et je pris une minute pour me délecter de son minishort en jean et de sa paire de bottes que je connaissais déjà. Je savais exactement à quoi elle ressemblait sans rien à part les bottes. Son bustier noir en dentelle dévoilait la peau de son ventre dès qu'elle levait un peu les bras.

Cette nana savait comment s'habiller pour faire tourner la tête des hommes.

— Arrête de mater, mec. Ton sort est scellé, s'esclaffa Grant en s'approchant de moi.

— Je ne suis pas encore marié, marmonnai-je en le fusillant du regard avant de reposer les yeux sur Della.

— Non, mais ça ne va pas tarder. Si tu avais plus envie de Della que du poste de vice-président, tu te serais déjà décidé. Tu as fait ton choix et je te connais depuis assez longtemps pour savoir que tu vas t'y tenir.

— C'est plus compliqué que ça.

Grant croisa les bras sur sa poitrine et me toisa.

— Allons bon. Comment ça ?

Je n'avais pas envie de lui dévoiler mes sentiments pour Della. Ça ne le regardait pas. Il était bien placé pour savoir à quel point c'était difficile dans certaines circonstances de désirer quelqu'un. Il avait vécu la même chose et s'y était brûlé les ailes. Seulement, il ne savait pas que j'étais au courant. Il pensait que le secret était bien gardé. Mais, avec Nannette, un secret ne le restait pas longtemps. Son ancienne demi-sœur était le diable incarné. Mon histoire avec Della était différente mais tout aussi impossible.

— Tu sais à quel point les choses peuvent être compliquées, Grant. Je le sais, affirmai-je à voix basse pour que lui seul puisse m'entendre.

Grant plissa les yeux, l'air écœuré.

— Qui t'a raconté ça ?

Personne ne m'avait rien dit. Ça s'était déroulé sous mes yeux. Il ne se passait pas grand-chose dans mon club sans que je finisse par l'apprendre.

— Personne d'autre ne le sait. Je l'ai vu.

Grant avait l'air dépité.

— C'est fini.

— Je m'en doutais. Personne ne peut supporter de rester dans son entourage très longtemps.

Nous restâmes en silence à observer Della. Ses yeux finirent par se poser sur les miens et je décidai de me lancer. Le moment était venu de lui parler. Et, cette fois, elle ne m'enverrait pas promener.

Della

Je n'aurais pas dû le dévisager aussi longtemps, mais je ne pouvais pas l'ignorer. Dans un moment de faiblesse, j'avais croisé son regard dans lequel j'avais lu de la tristesse. Un regard qui cachait des secrets. Je connaissais ce sentiment. Bêtement, j'avais eu envie de lui venir en aide.

Heureusement, la raison reprit le dessus et, me rendant compte qu'il s'approchait de moi, je sus qu'il fallait que je m'en aille. Il allait encore essayer de s'expliquer. Je ne voulais pas l'entendre se justifier. Ce soir, j'avais envie de m'amuser avec de parfaits inconnus. Il était hors de question de me tapir dans le noir pour affronter un nouvel accès de folie.

Au bout de deux pas à peine, sa grande main se referma sur mon bras.

— Je t'en prie, Della, ne pars pas, je veux juste parler.

Encore cette tristesse. Elle transparaissait jusque dans sa voix. Quelque chose le faisait souffrir. J'avais souffert pendant tellement longtemps. Je n'avais aucun mal à identifier la douleur chez les autres. Elle m'attirait d'une manière étrange et perverse.

— Qu'est-ce que tu veux, Woods ? demandai-je sans le regarder.

— Parler. Simplement parler.

Très bien. Parlons, si ça pouvait l'aider à clore ce cha-
pitre et faire disparaître la tristesse dans son regard qui
me hantait.

— O.K. Mais on parle ici, insistai-je, voulant à tout
prix éviter de me retrouver seule avec lui.

— Pas de problème.

Je me retournai enfin vers lui. Il était vraiment beau.
J'avais tendance à l'oublier. Mais de près, quand il était
entièrement concentré sur moi, c'était plus difficile d'y
rester insensible. J'avais vu ses yeux briller de passion.
Je connaissais le goût de sa bouche et ses cris de plaisir.
C'était du passé, mais ces souvenirs étaient inoubliables.

— Allons nous asseoir, proposa-t-il en me tirant doucement par le bras vers une table vide dans un coin de
la salle.

Je m'assis en face de lui, protégée par la petite table
qui nous séparait. Il avait quelque chose à dire, et plus
vite ce serait fait, plus vite je pourrais mettre de la distance entre nous.

— Tu voulais me parler de quoi?

Woods fit glisser son pouce sur sa lèvre inférieure d'un
air pensif. Je détournai le regard; je ne voulais pas me
remémorer sa bouche.

— De l'autre nuit. J'ai voulu être honnête envers toi,
mais j'ai tout foiré. Je n'aurais pas dû te laisser partir sans
t'expliquer toute l'histoire.

En prenant place face à lui, je savais qu'on reviendrait
sur cet épisode. Ça ne le rendait pas moins douloureux.
J'avais été tellement franche. Lui, non.

— Si tu avais été honnête, tu n'aurais pas couché avec
moi avant de me dire que tu t'apprêtais à te fiancer. Je ne
savais même pas que tu étais dans une relation. Sérieuse,
en plus! Tu étais déjà avec elle quand... la première
nuit... quand on s'est rencontrés?

— Non. Ce n'est pas une vraie relation, Della. Ce n'est pas ce que tu crois. C'est une transaction commerciale. L'entreprise de son père fusionne avec celle de mon père. Nous ne sommes pas dans une relation exclusive… Enfin on ne l'était pas jusqu'à ce que je la demande en mariage.

Une transaction commerciale ? Qu'est-ce que ça voulait dire ?

— Je ne comprends pas.

Woods émit un petit rire amer.

— C'est normal, c'est tellement foireux. Mon grand-père a fondé le Kerrington Club. Il a rencontré un succès certain, mais n'a jamais joué dans la cour des grands. L'association du nom de Greystone à celui de Kerrington ouvrirait de nouvelles portes à mon père… et à moi aussi.

Greystone ? J'avais déjà entendu ce nom, mais où ?

— Ta fiancée est une Greystone ?

— Oui, elle est la seule héritière du nom. Nos pères y voient une formule gagnante pour tout le monde. Un jour, je serai à la tête des Kerrington et de l'empire des Greystone.

Donc les gens se mariaient vraiment pour des raisons aussi superficielles que ça. Est-ce pour cela qu'il avait l'air triste ?

— Ça te rend heureux ? demandai-je en scrutant son visage.

— Non. Mais elle aussi veut cet arrangement.

Le regret gravé dans ses traits me serra le cœur. Je n'étais pas contente qu'il ait couché avec moi sans me parler de tout ça, mais je ne voulais pas qu'il ait l'air à tel point atterré. Après tout, on n'avait qu'une vie. J'étais bien placée pour le savoir. Enfermée à double tour, j'avais perdu une bonne partie de la mienne. Il s'apprêtait à perdre le reste de la sienne d'une façon tout à fait semblable. Son cœur serait fermé à double tour. Ignoré.

— C'est ce que tu veux?

Il ne répondit pas immédiatement mais me dévisagea avec intensité. Mon cœur se mit à battre la chamade, comme toujours en présence de Woods. Rien à faire, je ne parvenais jamais à me contrôler.

— Oui et non. Je veux ce qu'on me fait miroiter depuis que je suis petit. Je veux la place qui me revient dans l'entreprise familiale. J'ai travaillé dur. Mais… je ne veux pas d'Angelina.

Son expression en disait plus que tous les discours. Je baissai les yeux vers mes mains posées sur mes genoux. Il fallait que je prenne une décision. Je pouvais continuer à repousser Woods, ou je pouvais lui pardonner. Je pouvais être son amie. Rien de plus. Il m'avait donné un travail quand j'étais dans le besoin. J'allais bientôt repartir. En attendant, pourquoi ne pas partager des moments avec Woods et trouver le bonheur de la vie côte à côte? Vivre de nouvelles expériences. Pour lui, un dernier goût de liberté; pour moi, le premier.

Je relevai les yeux. Il attendait quelque chose de moi.

— Est-ce qu'on peut être amis? Même après tout ce qui s'est passé? On pourrait tout reprendre de zéro, suggérai-je.

Les muscles de son cou se contractèrent et il déglutit. Je me demandai si je n'avais pas mal interprété son attitude. Peut-être voulait-il purement et simplement mettre un point final à l'histoire. Mais son regard sous-entendait autre chose.

— Ça me ferait plaisir, répondit-il.

Je souris et lui tendis la main.

— Bonjour, je m'appelle Della Sloane.

Un sourire en coin illumina le visage parfait de Woods qui glissa sa main dans la mienne.

— Woods Kerrington. Ravi de te rencontrer, Della.

Son contact chaleureux me fit frissonner et je retirai ma main avant de me relever.

— Je vais prendre un verre. Réserve-moi une danse ce soir.

— Absolument, conclut-il en hochant la tête.

Bethy me rejoignit au bar. J'avais prévu de souffler un grand coup après m'être suffisamment éloignée de Woods pour réfléchir à la situation. Au lieu de quoi, je lui souris comme si de rien n'était.

— Je peux te demander à quoi rime cette poignée de main? interrogea Bethy en s'asseyant sur le tabouret à côté de moi pour commander deux shots de tequila.

— On reprend de zéro. Cette fois, je sais qu'il est fiancé et nous allons être amis. (Bethy opina du chef mais je pouvais lire le scepticisme dans son regard.) C'est vrai! Rien de plus.

Le barman fit glisser les deux verres jusqu'à nous.

— Je veux bien croire que tu es sincère. Mais Woods ne veut pas d'Angelina. J'ai de bonnes raisons de penser qu'il ne parviendra pas à rester purement ami avec toi.

Même Bethy savait qu'il ne voulait pas épouser Angelina. Je ne comprenais pas. Qu'est-ce qu'il y avait de si mal à cette union?

— Il donne l'impression de sacrifier son bonheur pour l'argent et le gain. À mon avis, ça va mal finir. (Bethy rejeta la tête en arrière pour boire son shot et essuya du pouce une goutte d'alcool sur sa lèvre inférieure.) Ça va être un désastre. Il sera malheureux. Mais il est persuadé que c'est ce qu'il veut dans la vie. Personne ne parvient à lui faire changer d'avis. Dans leur monde d'argent et de pouvoir, ils fonctionnent comme ça. C'est pour ça que Tripp a pris ses jambes à son cou. Il ne voulait pas jouer le jeu.

Tripp? Lui aussi avait dû affronter un ultimatum? Mais il était parti. Il avait pris la tangente. Il n'avait pas sacrifié son bonheur. Il avait fait le choix de vivre sans être emprisonné dans une cage. À étouffer. Je détestais l'idée que Woods soit prisonnier.

— Je suis de passage. Pendant mon séjour ici, je pense qu'on peut être amis. Je l'apprécie. Je souhaite mieux le connaître. Plus tard, quand je repenserai à lui, je ne veux pas que son souvenir m'évoque uniquement le sexe. L'homme m'intéresse. C'est si mal que ça?

— Non, répondit Bethy en me tendant ma tequila. Pas du tout. Allez, cul sec. Il faut quelqu'un pour lancer le karaoké et, plouf plouf, c'est toi.

— Oh non. Pas moi!

— Si, toi, insista Bethy. J'ai entendu parler de ton talent. À mon tour d'écouter. Allez, fais-le pour moi. S'il te plaît.

Je m'emparai du shot et engloutis l'alcool acidulé.

Woods

Grant prit la place de Della après son départ.

— J'en conclus que vous avez fait amende honorable, observa-t-il en posant sa bière sur la table.

— On est amis, répliquai-je, incertain de la marche à suivre, mais bien décidé à y parvenir.

— Amis, répéta Grant en hochant la tête d'un air entendu. Eh bien je te souhaite bonne chance.

Son commentaire me gonflait, mais il avait raison. J'allais avoir besoin de chance. Garder la tête froide en présence de Della n'allait pas être une mince affaire.

— Merci.

— Tu as l'air de trouver ça aussi improbable que moi, lâcha Grant en gloussant.

J'allais lui répondre lorsque Bethy monta sur scène.

— Le moment est venu pour un petit karaoké. Maintenant que vous avez tous bu à l'œil, vous allez payer en chansons. Mais pas d'inquiétude. Il vous reste un peu de temps pour boire suffisamment afin d'avoir le courage de vous lancer. Della a accepté de passer en premier vu qu'elle n'a pas besoin d'être saoule pour déchirer.

Della regardait Bethy par en dessous comme si elle avait voulu se planquer sous une table. J'avais envie d'aller la sauver, mais pas de là à chanter. Jamais je ne m'en remettrais.

— Je m'en occupe, dit Grant en se levant d'un bond.

Il s'avança d'un pas nonchalant jusqu'à Della et lui souffla un mot qui lui valut un large sourire. Quel connard. À quoi jouait-il ?

Della glissa sa main dans la sienne et ils montèrent sur scène ensemble. Il allait chanter avec elle. Il n'avait pas chanté en public depuis le lycée.

Della avait l'air soulagée de ne pas se retrouver seule.

Les paroles de *Picture* de Sheryl Crow et Kid Rock s'affichèrent à l'écran. Il avait choisi Kid. Rien de surprenant : il avait toujours été fan.

La mélodie commença à se déverser des haut-parleurs. Grant l'accompagna et je me laissai aller à regarder Della. Elle était impressionnée par sa voix. Comme la plupart des gens. Jusqu'à ce qu'ils écoutent Rush Finlay. Rush et Grant avaient été demi-frères l'espace de quelques courtes années. Mais cela avait suffi à créer un lien fort entre eux. Je n'avais jamais compris pourquoi Rush avait arrêté de chanter, alors qu'il attirait les filles à des kilomètres à la ronde quand il était plus jeune. Peut-être voulait-il se distinguer de son père et éviter toute comparaison avec lui. Le père de Rush était le célèbre batteur des Slacker Demon.

Grant, quant à lui, n'avait jamais hésité à utiliser ses talents vocaux pour aguicher les nanas.

Della entama sa partie et la salle fit silence. Elle était incroyable. J'avais été totalement bluffé à la soirée caritative des Delamar. Cela faisait partie des choses qui m'intriguaient chez elle. Elle devait chanter depuis un sacré bout de temps.

— Tu sais quoi ? Je vais tenter ma chance avec elle. Toi, mon gars, tu es fiancé. Tu peux te foutre en pétard autant que tu veux, je tenterai quand même ma chance. Elle est trop canon et ça vaut carrément la prise de tête, m'informa Thad.

Je le fusillai du regard; il s'assit en face de moi et haussa les épaules avant de se tourner vers la scène.

Elle était trop maligne pour s'embarquer avec Thad. Ce n'était pas son genre.

— Sauf si elle termine dans le pieu de Grant ce soir. Il m'a l'air chaud, observai-je.

À la fin de la chanson, Grant prit Della dans ses bras. Je serrai les poings. Qu'est-ce qu'il foutait?

— Mon pote, tu es fiancé, ne l'oublie pas, répliqua Thad en se levant.

Les mains de Della reposaient confortablement sur les bras de Grant depuis un peu trop longtemps. Lorsqu'elle quitta Grant des yeux, son regard se posa sur moi. Aussitôt, elle retira ses mains et fit un pas en arrière en le gratifiant d'un dernier sourire. Après quoi elle tourna les talons et sortit de scène.

Je la regardai se faufiler à travers le public. Elle se dirigeait vers le couloir qui menait aux toilettes. Sans réfléchir, je me levai et la suivis.

J'attendis devant les toilettes où elle s'était déjà engouffrée. Je ne savais pas trop ce que j'allais faire. Nous avions tout juste convenu de devenir amis; la prendre contre le mur dans une cabine de toilette n'était pas une très bonne idée. J'étais sûr qu'elle n'en avait plus envie. Cette pensée me brûla la gorge comme une coulée d'acide. Je l'avais possédée. J'aurais pu la posséder davantage.

Les yeux fixés sur la porte, je renonçai à aller plus loin. Encore une erreur. Je n'avais rien à faire ici. Je voulais faire la connaissance de Della et ce n'était pas comme ça que j'y parviendrais. Si je tentais quoi que ce soit, elle me repousserait.

Je rebroussai chemin dans le couloir, loin de toute tentation.

— Woods?

La voix de Della me coupa dans mon élan. Je ne pouvais pas y retourner et lui jetai un regard par-dessus mon épaule.

— Salut. Tu t'es super bien débrouillée sur scène. Sheryl Crow, c'est pas facile.

— Merci, répondit-elle en rougissant. Je me suis bien amusée. Quand Bethy m'a demandé de chanter, j'étais tendue, mais je suis contente de l'avoir fait.

— Moi aussi, je suis content que tu l'aies fait.

Elle s'approcha de moi.

— Et si on s'offrait cette danse ?

J'en avais envie. Je voulais d'un tel souvenir. D'une telle expérience. Je lui tendis la main. Elle y posa sa main toute fine et ma poitrine se serra. Cette sensation d'oppression s'accentua lorsque je refermai mes doigts sur les siens pour l'accompagner vers la piste de danse.

Je sentis des regards peser sur moi, mais dans l'immédiat je m'en foutais royalement. Ils pouvaient juger autant qu'ils le voulaient. C'est ce que je désirais et, tant que je n'aurais pas dit « oui » au prêtre, j'allais consacrer chaque instant à mieux connaître Della. Sans quoi je le regretterais le restant de mes jours.

Jimmy, au micro, avait entonné *Wanted* de Hunter Hayes. Le tempo lent me convenait parfaitement ; j'allais pouvoir la serrer contre moi.

Della fit glisser ses mains en haut de mes bras. Elle ne les croisa pas derrière ma nuque.

— Tu sens bon, murmura-t-elle, tellement bas que je faillis ne pas entendre.

— Pas autant que toi, crois-moi, répondis-je. (Elle se tendit lorsque mes mains resserrèrent leur emprise sur sa taille.) C'est vrai, Della. Je t'ai déjà dit que tu sentais divinement bon. Ne te crispe pas alors que je te dis la vérité.

Elle se détendit un peu.

— D'accord, tu as raison. Il n'y a aucun mal à dire que ses amis sentent bon, observa-t-elle d'une adorable voix taquine.

— Comme on est amis, il n'y a pas de loi t'interdisant de croiser les mains derrière ma nuque ?

Della s'immobilisa un instant, puis remonta ses mains sur mes épaules.

— Je ne suis pas assez grande pour aller plus loin. Même avec mes bottes.

— C'est bien comme ça, la rassurai-je en l'attirant contre moi. D'où viens-tu, Della Sloane ?

— Tu pourrais facilement jeter un œil au formulaire que tu m'as fait remplir, répondit-elle en riant.

— Je veux l'entendre de ta bouche. Je ne veux pas le découvrir dans ton dossier.

Della inclina la tête sur le côté et m'étudia un moment.

— Macon, en Géorgie.

J'aurais dit Alabama ou Géorgie. Son accent était marqué.

— Tu as des frères et sœurs ?

Une expression mélancolique se peignit sur son visage et elle secoua la tête.

— Non.

Ce simple « non » semblait en dire plus. Elle me cachait quelque chose.

— Tu ne me donnes pas l'impression d'être fille unique. Ton désir insouciant de parcourir le monde ressemble plus à ce que ferait la petite dernière de la famille.

Della eut un sourire énigmatique. Connaîtrais-je jamais ses secrets ?

— Je suis très loin d'être insouciante. Mais j'aimerais bien. J'espère pouvoir l'être un jour. Pour le moment, j'essaie de me trouver. Tu sais ce que tu veux dans la vie. Moi non. Je n'en ai pas la moindre idée.

Savais-je vraiment ce que je voulais dans la vie ? Est-ce que tout ça n'avait pas changé ?

— Je n'ai pas autant de certitudes que tu le penses.

— Vraiment ? interrogea-t-elle avec un petit sourire en coin.

J'avais une envie irrésistible d'embrasser ses fines lèvres sensuelles.

— Quelle est ta date d'anniversaire ? demandai-je au lieu de répondre à sa remarque.

Della poussa un soupir et détourna le regard.

— Le 6 avril. Et le tien ?

— Le 10 décembre. Ta couleur préférée ?

— Bleu, répondit-elle en riant. Bleu clair. Et toi ?

— Il y a un mois, j'aurais dit rouge. Mais maintenant j'aime bien le bleu, moi aussi.

— Pourquoi ?

Elle haussa un sourcil et leva les yeux sur moi. Je n'allais pas lui avouer que c'était à cause de ses yeux bleus. Elle allait encore se crisper.

— Seuls les imbéciles ne changent pas d'avis. (J'embrayai *presto* sans lui laisser le temps de réfléchir :) Comment s'appelait ta maîtresse de CP ?

Della s'immobilisa puis se mit à reculer. Ses yeux avaient une teinte vitreuse. J'avais dit quelque chose qu'il ne fallait pas ? Avait-elle compris pourquoi j'avais choisi le bleu comme couleur préférée ?

— Il me faut un verre, bafouilla-t-elle avec un sourire nerveux avant de partir précipitamment.

Comment avais-je pu la perturber en l'interrogeant sur son institutrice ? Ses yeux cachaient une histoire sombre que je craignais de ne jamais découvrir.

Della

La question était simple. C'était même mignon qu'il s'intéresse à ça. Est-ce que quelqu'un s'était déjà penché sur des choses aussi triviales me concernant? On ne m'avait jamais posé de questions personnelles aussi innocentes. Quand il m'avait interrogée sur mon institutrice, la seule image qui m'était venue était celle de ma mère.

Assieds-toi ici, Della. Ne regarde pas par la fenêtre. Il faut que tu fasses tes devoirs. Pour être intelligente, il faut que tu lises Shakespeare. Il te rappellera à quel point le monde peut être dangereux.

Je secouai la tête pour échapper aux souvenirs. Ça ne peut pas m'arriver maintenant. Pas ici.

Il fait nuit dehors, Della. Toutes sortes de dangers rôdent la nuit. Ferme les portes et les fenêtres et reste bien à l'abri dans ton lit. Si tu te lèves, le monstre sous ton lit va t'entendre.

Non, maman. Va-t'en.

Della, ne sors pas une fois encore ce soir. Le mal t'attend dehors. Reste avec moi. Ton frère est inquiet pour toi. Il ne veut pas que tu souffres. Reste à l'abri dans ton lit.

— Della, ça ne va pas?

Des bras puissants me retenaient. Je me laissai aller. Il fallait la fuir. Oublier cette nuit-là. Si elle restait trop longtemps dans ma tête, je n'y parviendrais jamais.

— Je la tiens. Poussez-vous.

La voix de Woods me réconforta. Il me libérait de mes souvenirs. Ils n'allaient pas m'emprisonner cette fois-ci.

L'air frais caressa mon visage et je me rendis compte qu'on me portait. Je pris une profonde inspiration et la tension dans ma poitrine s'envola. Woods m'avait sortie de là. Il ne m'avait pas abandonnée à mes souvenirs.

Je clignai des yeux à plusieurs reprises et recouvrai lentement la vue. L'obscurité avait disparu.

Woods s'assit sur un banc le long de la promenade et me maintint fermement installée sur ses genoux.

— Tu reviens à toi, dit-il simplement.

Je hochai la tête. Je ne savais pas trop quoi dire. Je ne voulais pas lui expliquer ce qui venait de se passer.

— Bien, ajouta-t-il en écartant les mèches qui tombaient sur mon visage de sa main libre, tandis que de l'autre il me tenait serrée contre son torse.

— Merci.

Les lèvres pincées, Woods semblait préoccupé. Je lui avais fait peur. Je fis mine de me relever mais il resserra son étreinte.

— Tu n'iras nulle part avant d'avoir répondu à une question.

Mon ventre se noua. Je n'ai jamais rien dit à personne, à part Braden, et elle connaissait l'histoire. Je ne pouvais pas la raconter à Woods.

— Tu n'es pas obligée de me dire ce qui s'est passé. Mais est-ce que ça se produit souvent ?

La question était vicieuse. Si je lui disais la vérité sans lui dévoiler mon passé, il allait croire que j'étais folle. C'était peut-être le cas. Personne ne savait trop. Elle était folle. Je l'étais peut-être, moi aussi. C'était ma plus grande angoisse : qu'un jour, moi aussi, je craque. Comme ça lui était arrivé. Je voulais profiter de la vie, parce que si ce jour se présentait, je voulais avoir vécu avant.

— C'est déclenché par certaines choses, expliquai-je en essayant à nouveau de m'extirper de son étreinte.

Cette fois-ci, il me laissa partir. Je lui en fus reconnaissante, même si j'aurais préféré qu'il bataille pour me garder plus longtemps. Après ce type d'incident, j'avais besoin d'affection pour récupérer plus vite.

— C'est moi qui l'ai déclenché ?

Je haussai les épaules et détournai mon regard vers le Golfe. Sa question avait provoqué l'épisode. Mais je ne pouvais pas lui dire ça.

Nous restâmes assis en silence pendant quelques minutes. Je savais qu'il passait en revue toutes sortes d'éventualités, toutes à côté de la plaque.

— J'ai envie de te connaître, Della. Je ne vais pas m'interdire de te poser des questions. La prochaine fois, peut-être que tu peux me poser des questions que je pourrai te retourner. Comme ça je ne ferai pas de faux-pas.

Il voulait apprendre à me connaître. Ma poitrine était sur le point d'exploser. Je sentis le picotement des larmes monter et clignai des yeux pour les ravaler. Je n'allais pas me mettre à pleurer devant lui.

— D'accord, concédai-je d'une voix rauque.

Woods posa une main sur la mienne et la serra fermement, sans me regarder. Il fixait les vagues qui se brisaient sur le rivage. Lorsque ses doigts s'entrelacèrent avec les miens, je les laissai faire. La simplicité de ce contact était tout ce dont j'avais besoin. Rester ainsi avec lui m'aidait à repousser l'obscurité. La douleur et le chagrin s'estompaient. J'allais bien. Je me sentais bien.

— Woods ? Comment va-t-elle ?

La voix de Bethy nous fit nous retourner ; elle venait de sortir du club et marchait dans notre direction.

— Elle pense que tu as trop bu, m'expliqua Woods à voix basse.

Je n'avais pas envisagé ce que les autres pouvaient penser de cet incident.

— Tout va bien, lui lançai-je tandis qu'elle arrivait à notre hauteur.

— Oh, Dieu merci. J'étais persuadée de t'avoir rendue malade avec tous ces shots. Ils peuvent être fatals si on n'a pas l'habitude.

— Elle a eu un coup de chaud. Mélangé à l'alcool. L'air frais l'a aidée à reprendre ses esprits, expliqua Woods à ma place.

Le soulagement se lisait sur le visage de Bethy.

— Merci, Woods. Je peux rester avec elle si tu veux retourner à l'intérieur.

La main de Woods se resserra sur la mienne.

— Non, je suis bien dehors. J'avais besoin de faire une pause, moi aussi.

Bethy eut l'air préoccupée mais finit par hocher la tête et regagner le bâtiment.

Après son départ, je levai les yeux sur Woods. Il me regardait.

— Merci pour ton aide, ce soir. Si tu n'étais pas intervenu, ça aurait pu devenir problématique.

— Je suis content d'avoir été là. Ce qui m'inquiète, c'est que tu voyages toute seule. Qu'est-ce qui se passe quand tu es seule et que… et que ça se produit ? Qui t'aide ?

Personne. Je me débrouillais.

— J'arrive normalement à m'isoler avant que ça me tombe dessus et je gère.

Woods rapprocha ma main contre lui et, au lieu de répondre ou de me contredire, retourna son attention sur les eaux sombres.

Woods

— Il faut que tu retournes à la soirée de Jace. Je vais rentrer à l'appartement. Je suis fatiguée.

La voix douce de Della fit irruption dans mes pensées.

Je voulais la garder près de moi pour pouvoir veiller sur elle. Tout en sachant que ça n'était pas envisageable.

— Je te dépose. Grant et moi, on ramènera ta voiture en bas de chez toi un peu plus tard.

Hors de question qu'elle conduise seule ce soir. Pour ma propre sérénité, je préférais la raccompagner.

— Ce n'est pas la peine. Je vais bien. Vraiment, protesta-t-elle en lâchant ma main pour se relever.

Elle se sentait peut-être mieux, mais moi pas.

— Je te dépose, répétai-je en me relevant pour la surplomber de toute ma hauteur. Je t'en prie. Sinon je vais m'inquiéter toute la nuit.

Ses lèvres roses esquissèrent un sourire et elle hocha la tête.

— D'accord. Merci.

Je posai ma main sur le creux de ses reins. J'avais besoin de la toucher. Le contact me rappelait qu'elle allait bien. Je l'accompagnai jusqu'à mon pick-up et l'aidai à s'installer côté passager. Au souvenir de la dernière fois

où elle avait été dans l'habitacle, j'eus plus que jamais
envie de la protéger.

Elle n'était pas mienne et ne le serait jamais, mais ça ne
changeait en rien mon émotion. J'étais devenu possessif à
son égard. Je voulais qu'elle soit en sécurité et heureuse.
Ce soir, j'avais eu la trouille de ma vie. Quelque chose
ne tournait pas rond chez Della. Impossible d'ignorer
mon désir de la rabibocher. Qu'avait-il bien pu lui arriver pour qu'elle se replie comme ça? Elle était restée
amorphe. Comme si elle avait quitté son corps.

Une fois au volant, je m'assurai qu'elle avait attaché sa
ceinture. Je n'étais pas près d'oublier l'étrange épisode
de la soirée. Je ne voyais pas trop comment j'étais censé
enchaîner après ça.

— Merci pour ton aide. J'espère que je ne t'ai pas trop
fait flipper.

Il fallait que je réponde quelque chose, mais quoi? Pas
de problème, tu me fais complètement péter les plombs?
Je ne pouvais pas lui balancer ça, mais je devais dire
quelque chose.

— Je serai toujours là pour toi, mais je ne vais pas te
mentir. Après cette soirée, je suis inquiet. Je ne peux pas
te laisser toute seule. Je veux te ramener chez moi pour
m'occuper de toi.

Je lui lançai un regard en coin avant de fixer de nouveau la route. Elle mordillait sa lèvre inférieure d'un
air anxieux. Elle ne parla pas tout de suite. J'attendais
qu'elle dise quelque chose. N'importe quoi. Mais elle
resta silencieuse. J'essayai de ne pas y penser. En vain. Je
ne parviendrais jamais à sortir l'image de son visage de
mon esprit.

— Il faut que j'apprenne à vivre seule. À me débrouiller sans aide. C'est pour ça que je fais ce voyage. Pour me
découvrir et construire ma vie…

Elle ne termina pas sa phrase. Qui lui avait dit qu'elle devait trouver le moyen de gérer ça toute seule ? Qu'est-ce qui lui était arrivé ?

Je tendis la main et agrippai la sienne.

— Tu m'appelles. Quand tu veux. Si tu as besoin de quelqu'un, appelle-moi.

Elle hocha la tête et me serra la main.

— Merci.

Je me garai devant l'appartement de Tripp en regrettant de ne pas avoir emprunté un itinéraire plus long. Della retira sa main et ouvrit la portière.

— J'ai bien aimé danser avec toi, ajouta-t-elle avant de sortir du pick-up et de refermer la porte derrière elle.

J'attendis qu'elle soit bien à l'abri à l'intérieur avant de redémarrer.

Ma mère m'avait déjà appelé trois fois au cours de la matinée. J'avais promis de les rejoindre à leur maison du bord de mer pour le déjeuner dominical avec les Greystone et apparemment elle ne me faisait pas confiance pour être au rendez-vous. Lorsque mon téléphone se remit à sonner dans ma poche, j'avais l'intention de l'ignorer. J'étais en route, bordel. Il fallait vraiment qu'elle me lâche.

Mais l'idée que l'appel puisse venir de Della me força à extirper mon téléphone. Le nom de Jace illuminait l'écran.

— Salut, Jace.

— Tu es où ?

— En route vers chez mes parents pour le déjeuner. Pourquoi ?

— J'ai fait un crochet par ton bureau et tu n'y étais pas. Je me suis dit que tu jouais peut-être au golf.

— Non. Pas aujourd'hui.

Jace se racla la gorge et je sus qu'il voulait ajouter autre chose. Il ne m'appelait pas pour parler de golf.

— Euh… Je viens de parler à Tripp. Il était en train de rentrer. À cause d'elle, je pense.

Par « elle », il voulait dire Della. Merde.

— O.K., répliquai-je, ne sachant trop ce qu'il attendait de moi.

— Ils crècheront tous les deux chez lui.

Je n'y avais pas pensé. Della partageant un appartement avec Tripp. Ben voyons !

— Ça ne me plaît pas des masses, déclarai-je, la mâchoire serrée.

Jace poussa un profond soupir.

— Arrête, sérieusement. Tu es fiancé. Tu ne peux pas l'avoir. Si Tripp a envie de tenter le coup, tu sais très bien qu'il prendra soin d'elle. Alors bas les pattes et laisse-lui sa chance. Ça pourrait lui donner une raison de revenir.

La vision du corps parfait de Della étendu nu sur un lit à l'attention de Tripp me donnait envie de le flanquer contre un mur. Elle était à moi. Pourtant c'était faux, nom de Dieu !

— Il faut que j'y aille, grommelai-je avant de raccrocher et de balancer mon téléphone contre la portière en poussant un grondement frustré.

Della

Le dimanche, le service était impitoyable. Moi qui étais persuadée que, en dehors de Macon, en Géorgie, personne ne se précipitait à l'église ce jour-là, j'avais tout faux. C'était une coutume dans tout le Sud. À précisément 12 h 05, les portes s'ouvraient et les tables étaient prises d'assaut tandis qu'une file d'attente se déployait à la porte.

Je m'étais demandé pourquoi jusque-là on ne m'avait jamais confié le service du dimanche midi. Ceci expliquait cela. C'était une affaire de pro exclusivement. Je m'adossai au mur de la cuisine et repoussai les mèches qui tombaient sur mon visage. Nous avions survécu. La dernière table était en train de finir et de payer l'addition.

— Le seul avantage du dimanche, c'est le pourboire. Chaque semaine, je jure mes grands dieux que je vais démissionner à la fin de la journée. Et puis je compte mon pognon, plaisanta Jimmy en me gratifiant d'un clin d'œil avant de sortir un rouleau de billets de sa poche.

— C'était la folie.

— Ouais, poursuivit Jimmy en rigolant. La bonne nouvelle, c'est que c'est terminé. Tu peux rentrer chez toi.

Chez moi. L'appartement de Tripp n'était pas mon chez-moi. Et, aujourd'hui, je n'étais plus aussi sûre d'y rester. Je priai pour que mes pourboires soient vraiment élevés, parce que j'allais peut-être devoir boucler mon sac et me remettre en route. Tripp m'avait appelée la veille au soir pour m'informer qu'il allait passer chez lui. Je ne savais pas si cela signifiait mon départ immédiat. Ou si on allait partager les lieux.

J'avais eu plusieurs cauchemars et m'étais réveillée en hurlant. L'idée d'une colocation avec Tripp n'était pas idéale. Mais celle de quitter Rosemary n'était pas beaucoup plus réjouissante. Je me plaisais bien ici. J'aimais bien Bethy et Jimmy et puis… Woods.

— Poulette, arrête de froncer les sourcils. C'est l'heure de la récré, me rappela Jimmy d'une voix taquine en passant devant moi pour jeter son tablier dans le panier de linge sale.

Je me forçai à sourire.

— Je crois que j'ai besoin d'une bonne sieste, répliquai-je en retirant mon tablier.

Mais je n'irais pas me reposer. Il y avait de fortes chances pour que Tripp soit là à mon retour. Ou un peu plus tard.

— J'ai un rencard dément. Pas le temps de pioncer. À demain matin, lança Jimmy en quittant la cuisine.

Je le suivis. Une fois à l'extérieur du country club, je défis la natte de mes cheveux. Elle me donnait mal à la tête. Je n'avais pas l'habitude d'avoir les cheveux tirés en arrière.

Le bruit d'une portière attira mon attention. En me retournant, je découvrir le pick-up de Woods garé sur l'emplacement qui lui était réservé. Sa fiancée faisait le tour du véhicule d'un air indigné, le regard furibond.

— Un repas, Woods, sérieusement ? Tu ne peux pas être aimable le temps d'un simple repas ? Merde, c'est quoi ton problème ? Est-ce que je suis abjecte à tel point que tu ne puisses même pas être courtois avec moi devant tes parents ?

Sa voix forte et suraiguë portait dans tout le parking. La situation ne me regardait pas : mieux valait m'en aller. Mais j'en étais incapable. Mes yeux étaient rivés sur Woods. Il sortait de son pick-up, l'air agacé.

— Tu as eu ce que tu voulais. Toi, ton père et le mien, vous avez gagné. Je me suis incliné et j'ai donné mon accord. Mais je n'en ai pas envie. Je n'en aurai jamais envie.

La voix de Woods était presque trop faible pour que je la perçoive.

— C'est vrai ? Eh bien personne ne t'oblige. Parce que même si j'ai envie que ça marche entre nous et que je souhaite un mari qui soit un plus pour le nom des Greystone, je ne veux pas vivre avec un homme qui me déteste. Je mérite mieux que ça. Je suis une perle rare, Woods Kerrington. Je n'ai pas besoin de toi.

Son corps tremblait de colère. J'étais désolée pour elle. Elle avait raison. Aucune femme ne méritait ça. L'expression impassible dans le regard de Woods était signe d'agacement, rien de plus.

— Tu as raison. Je suis désolé. J'ai trop de choses en tête, aujourd'hui. Je n'aurais pas dû me comporter de cette manière au déjeuner. Seul mon père sait me pousser à bout comme ça. Ce n'est pas toi qui es en cause, c'est lui.

Mon cœur se serra. Un éclair de tristesse avait brièvement traversé son regard. Je voulais le serrer dans mes bras et chasser sa tristesse, mais je ne pouvais pas. Ce n'était pas à moi de le réconforter.

Une élégante main manucurée se posa sur son bras. La rage qui l'avait fait trembler quelques secondes plus tôt s'était évaporée. Les épaules relâchées, Angelina se penchait vers Woods. Ella baissa la voix et je n'entendis pas sa réponse. Je perçus seulement l'acceptation sur le visage de Woods tandis qu'il hochait la tête. Son bras s'enroula autour du sien et ils pénétrèrent ensemble dans le country club.

J'ouvris ma portière en m'efforçant de ne pas les imaginer en train de s'envoyer en l'air dans son bureau pour se rabibocher. Je ne pouvais pas y réfléchir sans perdre mon calme. Mon attirance pour Woods était une page que je devais tourner. C'était seulement un ami. Tandis que je faisais route vers l'appartement, le goût amer dans ma bouche ne fit que s'accentuer. Je savais exactement ce que ça faisait d'être touchée par Woods.

Je reconnus la Harley Davidson garée devant la résidence. Tripp était arrivé. Il fallait que je décide de la suite, et vite. Il allait peut-être me demander de partir sans me laisser le choix.

Je m'apprêtais à tourner la clé dans la serrure lorsque je jugeai qu'il était sans doute mieux de frapper. Je n'étais plus seule désormais.

Je toquai à la porte et attendis.

Tripp ouvrit quasi immédiatement et son sourire amical se transforma en froncement de sourcils.

— Tu as la clé. Pourquoi tu frappes ? interrogea-t-il en reculant pour me laisser entrer.

— Comme tu es de retour, je trouvais ça bizarre d'entrer chez toi sans frapper.

La situation devenait embarrassante. Il fallait que je parte.

— Le fait que je sois de passage pour une petite visite ne change rien du tout. Tu as la clé, tes affaires sont ici, tu vas et tu viens comme tu le sens. Ma présence ne doit pas te déranger.

Il voulait que je reste? Je ne m'étais pas attendue à ça. Pas vraiment.

— Je pensais faire ma valise et reprendre la route. J'ai gagné assez d'argent pour dépasser Dallas, cette fois-ci.

Tripp inclina la tête sur le côté.

— Tu t'en vas à cause de moi?

Oui.

— Non, mentis-je.

— C'est bizarre, je ne te crois pas.

Je haussai les épaules.

Tripp poussa un soupir et ferma la porte d'entrée.

— Allez viens, ma jolie. Toi et moi, faut qu'on parle, et pour ça, on va s'installer avec une bière devant le Golfe.

Je le suivis jusqu'à la cuisine. Il prit deux bières dans le frigo et m'en lança une. Par chance, je la rattrapai. Tripp hocha la tête en direction des portes vitrées donnant sur le balcon. Je sortis en premier.

— Assieds-toi, dit Tripp derrière moi.

La chaleur de son corps était surprenante et je pris rapidement place sur une des chaises autour de la table du patio.

Comme s'il lisait dans mes pensées, Tripp me gratifia d'un petit sourire en coin. Il prit place sur la chaise longue, s'adossa et étira les jambes.

— Cet endroit m'a drôlement manqué. Pas les gens, mais le lieu en lui-même.

C'était étrange. Tripp manquait à tous les gens que j'avais rencontrés. Faisait-il allusion à ses parents seulement ou réellement à tout le monde?

— Tu te plais ici? demanda-t-il en tournant la tête vers moi.

— Oui, c'est un bel endroit, répliquai-je en toute sincérité.

— Ça, c'est sûr, approuva-t-il en souriant.

— Dans ce cas, pourquoi es-tu à Dallas ?

On m'avait raconté pourquoi Tripp était parti, mais je ne connaissais pas le fin mot de l'histoire.

— Mes parents voulaient que je devienne quelqu'un que je n'étais pas. J'avais soif de liberté. Donc je suis parti. Je ne pouvais pas être libre par ici. (Pourtant, il était revenu.) Mais je ne vais pas traîner longtemps. Le besoin de voir du pays va bien vite me rattraper. J'ai démissionné au bar. Je suis sûr et certain que Jeff se tape la nouvelle serveuse. Je ne peux pas continuer à bosser pour ce mec. En plus, Dallas commençait à me gonfler.

Était-ce sa manière de me dire que je pouvais rester ? Je n'étais pas sûre d'en avoir envie. On ne se connaissait pas vraiment. Il allait bientôt en savoir probablement plus qu'il ne le souhaitait sur moi.

— Moi aussi, je devrais me remettre en route de toute façon. Ça m'a fait plaisir de loger chez toi. C'est chouette.

— Je croyais que le sujet était clos ! Je ne suis pas venu ici pour te chasser. Je ne veux pas que tu partes. En tout cas pas tout de suite. Tu es arrivée il y a quelques semaines à peine. Profite encore un peu de la côte. Je te promets que je suis un bon coloc. Je ne ronfle pas, je ne bois pas le lait directement à la bouteille, sauf s'il n'en reste presque plus et que je le finis.

Le ton taquin me fit sourire. Le moment était venu d'être honnête. Cette fois-ci, je ne m'en sortirais pas avec un mensonge. Il allait penser que je ne l'aimais pas, et je ne pouvais pas lui faire ça. Pas après qu'il eut été aussi gentil avec moi.

— Je ne pars pas parce que j'ai peur que tu sois un mauvais coloc…

Je m'interrompis. Qu'est-ce que j'avais dit ? Comment m'expliquer sans passer pour une folle ?

— Bien, alors c'est réglé, conclut-il à ma place.

— Non, justement. C'est moi le problème. Je ne suis pas vraiment facile à vivre. Je… je ne ronfle pas mais je fais des cauchemars. Ça risque de te réveiller. Enfin, c'est même certain. J'ai des problèmes d'anxiété. Je peux les cacher, mais si on vit ensemble, tu vas finir par me voir dans les pires moments. Je ne suis pas… Je ne souhaite à personne de vivre avec moi. Crois-moi. Il vaut mieux que je me remette en route.

Voilà, c'était dit. Il n'avait plus qu'à lire entre les lignes.

Tripp se redressa et posa les pieds par terre. Il se pencha en avant, posa les coudes sur ses genoux et me dévisagea. Je déglutis avec difficulté. Je ne voulais pas répondre à un interrogatoire. S'il me forçait à me remémorer trop de choses, je finirais par lui montrer à quel point j'étais dingue. Je commençai à compter les moutons dans ma tête. Cela m'aidait à repousser d'autres pensées.

— Raison de plus pour ne pas vivre toute seule. Comment veux-tu faire face à tout ça ? C'est impossible. (Il s'interrompit, les lèvres pincées, choisissant ses mots avec précaution.) Moi aussi, j'ai mes démons. Je les garde à distance. Toi et moi, on fait la paire. On n'est pas prêts à se poser et on veut découvrir le monde. Je pense qu'on pourrait devenir de bons amis. C'est pour ça que je t'ai donné les clés de chez moi et que je t'ai envoyée ici. Qui a dit qu'on devait voyager seuls ? J'en ai assez d'être seul tout le temps. Si on faisait un essai ? On reste ici une quinzaine de jours pour voir si on arrive à se supporter.

Je digérai ses paroles. Difficile de trouver une réponse à tout ça. Je ne m'y attendais pas et je ne savais pas trop quoi en penser. Il voulait qu'on voyage ensemble ? Ça me semblait plutôt intime. Mais si on partageait un logement pendant quelque temps, on finirait par mieux se connaître et il finirait par déchanter à mon sujet.

— O.K., ça marche, répondis-je.

Un sourire se dessina lentement sur son visage. Ça n'allait pas tenir longtemps. Après ce soir, rien ne serait plus pareil.

— Attention, je préfère te prévenir : Jace est content que je sois rentré. Il passe ce soir avec des amis. J'espère que ça ne te dérange pas.

Les choses allaient prendre une tournure beaucoup plus mondaine. Il fallait que je m'y habitue.

Woods

On ne peut pas dire que je trépignais d'impatience de me rendre à une fête organisée pour le retour de Tripp. Quel dommage. Tripp était mon ami et je l'appréciais. Mais mon amertume à l'idée qu'il partage son appartement avec Della court-circuitait tout le reste.

J'y allais pour prendre Della à part et lui en toucher deux mots. Je ne voulais pas qu'elle se sente obligée de rester si ça la mettait mal à l'aise. Si elle le souhaitait, je pouvais lui trouver un appartement meublé.

Je frappai un coup à la porte et entrai. Avec le bruit ambiant, personne n'allait m'entendre.

L'endroit était plein à craquer. Je scrutai la foule à la recherche de Della.

— Woods ! Il était temps que tu te pointes, s'exclama Tripp par-dessus la musique qui se déversait dans des enceintes hi-fi.

Il était assis au bar avec Jace, Bethy, Thad et une fille que je ne connaissais pas, assise sur les genoux de Thad. Della n'était pas là. Merde.

— Te voilà rentré, lançai-je avec un sourire forcé.

— De passage. Je ne peux pas rester longtemps. Sinon mon père va m'obliger à enfiler un costard-cravate, plaisanta-t-il.

Ses mots faisaient mouche. J'étais bien placé pour connaître la douleur de l'emprise profonde d'un père sur son fils.

— J'essaie de le convaincre de rester. Mais il s'est mis en tête de repartir bientôt à l'aventure, renchérit Jace.

Au son de sa voix, je compris qu'il cherchait à me détendre en présence de Tripp. Mais dans l'immédiat, je n'avais qu'une idée en tête : trouver Della.

— Où est Della ? demandai-je, incapable de cacher que j'étais venu pour elle.

Tripp eut une mine étonnée. J'ignorai sa réaction et fixai Jace.

Ce dernier leva les yeux au ciel en secouant la tête.

— Elle est dans sa chambre. Pourquoi tu demandes ? répondit Tripp.

— Dans sa chambre ? Elle va bien ?

Je jetai un œil au couloir qui desservait les deux chambres. Les deux portes étaient fermées. Laquelle était la sienne ?

— Elle a eu un coup de fil. Elle est allée dans sa chambre à cause du bruit. Encore une fois : pourquoi tu demandes ? insista Tripp.

Je n'avais pas l'intention de répondre ; ça ne le regardait pas. Selon ses propres dires, il n'était que de passage.

— Woods et Della se sont rencontrés il y a quelques mois, alors qu'elle passait dans le coin. Et euh… ils se sont fréquentés. Maintenant, ils sont amis. Woods est un peu protecteur, expliqua Jace.

— Tu es fiancé, précisa Tripp, comme si j'avais besoin d'une piqûre de rappel.

Je plantai mes yeux dans les siens.

— Ce qui n'était pas le cas à l'époque. Et ça ne m'empêche pas de tenir à elle. Je veux m'assurer qu'elle va bien, affirmai-je avant de traverser la pièce en direction du couloir.

J'ouvris la première porte. Les lumières étaient éteintes. Je tentai la seconde. Della était assise en tailleur sur le lit, le téléphone à l'oreille. Elle releva les yeux sur moi et les écarquilla de surprise.

Elle allait bien. J'aurais dû refermer la porte et m'en aller. Mais je pénétrai dans la pièce et fermai derrière moi.

— Euh, oui. Il faut que j'y aille. Je te rappelle plus tard, conclut Della en me regardant avec circonspection. Tout va bien, quelqu'un vient d'entrer dans ma chambre et je ne veux pas être impolie. D'accord. Oui. Moi aussi je t'embrasse, bye.

Elle raccrocha et reposa le téléphone sur ses genoux.

— Woods… ?

Le reste de sa question resta en suspens.

— Tu n'étais pas avec les autres. Je voulais voir comment tu allais.

Elle comprit de quoi il retournait et me gratifia d'un fin sourire qui me serra le cœur.

— Merci, mais tu sais, c'est inutile de t'inquiéter pour moi. Je vais bien. Sincèrement.

Elle n'allait pas bien. Je ne savais même pas si elle s'était sentie bien un jour. Je m'assis sur le lit à côté d'elle.

— Je me demande comment tu vas depuis vendredi soir. Tu sais que tu peux m'appeler si jamais tu as besoin de moi.

— Tu étais occupé avec ta fiancée ce week-end. Tu n'as pas le temps de te préoccuper de moi.

J'avais vu Angelina seulement aujourd'hui pour le déjeuner.

— Je n'ai quasiment pas vu Angelina.

Je détestais prononcer ce nom devant Della.

Elle baissa les yeux sur ses mains.

— Je vous ai vus tous les deux en sortant du travail aujourd'hui.

Elle n'eut pas besoin d'en rajouter. Je repensai au désastre qu'avait été le déjeuner avec nos parents et l'engueulade que nous avions eue sur le chemin du country club. Puis je m'étais excusé parce que Angelina avait raison. Je nous torturais tous les deux en me comportant comme un con.

— Nous avons déjeuné ensemble, expliquai-je sans vraiment comprendre ce besoin de me justifier.

— Vous vous êtes disputés puis réconciliés. Je ne comprends pas comment tu pourras être heureux un jour, Woods.

La franchise de sa réponse me serra cruellement la poitrine.

— Moi non plus.

— Je ne peux plus me permettre de m'attacher à toi. J'ai peur de mes sentiments pour toi et je ne veux pas souffrir.

Ses mots me coupaient le souffle. Leur imploration douce allait finir par me briser.

— Jamais je ne te ferai de mal.

Jamais. Tout ce que je voulais, c'était la protéger.

— Mais tu le fais quand même. Chaque fois que je te vois avec elle, ça me fait du mal. Ce n'est pas ta faute. Ni la mienne. Je me suis impliquée trop vite. Et vendredi soir n'a pas aidé.

Nous avions à peine eu la possibilité de devenir amis qu'elle remettait déjà de la distance entre nous. Je ne pouvais pas la laisser faire. J'avais besoin d'elle. Elle était le seul point lumineux dans ma vie.

— On ne voulait pas être amis?

Elle haussa les épaules et serra les mains sur ses genoux.

— Je ne sais pas. Je ne suis pas sûre d'en être capable. Quand… quand tu es gentil et attentionné comme l'autre soir… Personne ne m'a jamais traitée comme ça. En tout cas, pas un homme. Je n'arrive pas à contrôler mes émotions.

Merde. Tout risquait de s'effondrer… cette chose entre nous. Mais je ne voulais pas qu'elle souffre. Je ferais l'impossible pour la protéger contre la douleur.

— Je veux être là pour toi quand tu as besoin de quelqu'un. Je t'en prie, ne me repousse pas.

Della émit un rire triste.

— C'est bien là le problème. Tu ne peux pas être là pour moi. Ça me brise le cœur un peu plus à chaque fois. Je vais bientôt partir. Gardons nos distances jusqu'à mon départ.

Jamais de la vie. J'allais répliquer lorsque la porte s'ouvrit sur Tripp.

— Ça va ? demanda-t-il à Della en m'ignorant.

Je n'aimais pas sa manière de la regarder. Son inquiétude m'exaspérait.

— On discutait de mon départ, dit-elle sans relever les yeux.

— Tu ne partiras pas, affirmai-je.

Si elle voulait qu'on ait cette conversation devant Tripp, elle n'avait qu'à se faire plaisir.

— Je ne peux pas rester.

— Bien sûr que si.

— Elle n'en a pas envie, Woods. Pourquoi tu cherches à la forcer ? intervint Tripp en s'avançant vers elle.

— Reste en dehors de ça, Tripp. Tu sais que dalle sur elle.

Della se leva et leva les mains pour m'intimer le silence.

— Arrête.

La tristesse de ses yeux me déchira. J'aimais tant les voir briller de rire.

— Reprends-toi et réfléchis à la connerie que tu es en train de faire. Le Woods que j'ai connu n'était pas un abruti insensible. Della n'a pas mérité ça. Tu es fiancé. Quels que soient tes sentiments pour Della, il faut que ça cesse. Elle part avec moi dans une quinzaine de jours. On va voyager ensemble. Pourquoi tu ne lâches pas l'affaire, hein?

Elle partait avec lui? Cette perspective me tortura et je refusais d'y croire. Et pourtant, elle ne démentait rien. Elle avait simplement l'air abattue et crevée. Je ne pouvais pas continuer à m'infliger ça. Elle ne voulait pas rester. Je n'avais aucun avenir avec Della. Et si je n'épousais pas Angelina, je n'aurais aucun avenir dans l'entreprise de mon père. La main de Tripp glissa sur l'épaule de Della et la serra. C'en était trop pour moi. Je me levai et sortis de la pièce. Sans me retourner. Sans dire au revoir à personne.

Della

— Tu n'aurais pas dû lui dire ça, dis-je à Tripp sans le regarder.

Je repoussai sa main d'un haussement d'épaule et m'approchai de la fenêtre. Woods avait eu l'air si tourmenté. L'indécision se peignait sur son visage. Je voulais qu'il me choisisse. Mais qu'est-ce que j'avais à offrir ? Je ne pouvais être le choix de personne.

— Il est fiancé. Il n'a pas le droit de venir ici et de jouer avec tes émotions comme ça. J'ai vu la douleur dans tes yeux. Ce qui s'est passé entre vous deux n'est pas fini et il ne lâche pas. Ce n'est pas juste envers toi.

Ce n'était peut-être pas juste envers moi, mais ça n'était pas juste envers lui non plus. On avait décidé à sa place. Il était malheureux. Je détestais ça. Je voulais partir en le sachant heureux.

— C'est mon ami, répliquai-je.

La seule vérité au milieu de tout ça.

— Ouais, moi aussi c'est mon ami, soupira Tripp. Ou du moins il l'était. Je pense qu'il envisage de me trucider à la première occasion. Mais il pourrait laisser tout ça derrière lui. Il aurait pu te choisir toi.

— Je ne suis pas une option.

Le silence suivit mes derniers mots. Je contemplai l'océan, sentant le regard de Tripp sur moi. Il réfléchissait à ma remarque. Je n'allais pas l'expliquer. Il comprendrait bien assez vite.

— On se perçoit toujours différemment. Parfois, nos défauts sont nos points forts.

Je ne dis rien. Parce qu'il avait raison – cela s'appliquait à beaucoup de personnes. Mais pas à moi. Ce n'étaient pas mes imperfections qui m'inquiétaient, mais plutôt la terreur qui corrompait tout dans ma vie et qui me maintenait à l'écart du monde.

J'entendis la porte se refermer doucement derrière moi. Il me laissait seule. Tant mieux, j'en avais envie.

— Tu sais pourquoi je t'ai envoyée ici?

La voix de Tripp me fit sursauter et je me retournai d'un bond. Il était assis au bord du lit. Il n'était pas parti.

Je secouai la tête. Je l'ignorais. À ce moment-là, on se connaissait à peine.

— Parce que tu avais l'air aussi perdue que moi. Je t'observais depuis des semaines. C'est difficile de ne pas te regarder. (Il eut un petit sourire en coin.) Tu n'avais pas l'air de trouver ta place. Et moi non plus. Depuis que j'ai quitté tout ça, je n'ai fait que partir à la dérive. J'en ai assez d'être seul. J'ai vu une âme sœur en toi et je t'ai envoyée ici jusqu'à ce que j'aie le cran de revenir affronter cet endroit. (Il fit une pause et passa une main dans ses cheveux.) J'avais l'intention de passer du temps avec toi et d'apprendre à te connaître. Mais je n'étais pas vraiment préparé à ça. Woods. (Il secoua la tête.) Il a fallu que tu t'embarques avec Woods. Quelle ironie du sort. Un type aussi paumé que moi avant. Le problème, c'est qu'il ne va pas prendre la tangente. Il en veut, de cette vie de merde que nos parents nous imposent. Il est en train de devenir une putain de marionnette. Tu mérites mieux que ça, Della.

J'avalai la boule logée dans ma gorge. Je ne savais pas si Tripp avait terminé, mais je ne voulais pas en entendre plus. Il avait raison. Il ne fallait pas que je perde mon temps à vouloir quelqu'un comme Woods. Mais l'oublier et aller de l'avant ? Plus facile à dire qu'à faire.

— Ce soir, j'ai juste besoin de dormir. Je n'ai pas jeté mon dévolu sur Woods, si c'est ce que tu veux dire. On a couché ensemble. C'est tout ce qu'il y a entre nous.

— Désolé pour ce soir, dit Tripp en se levant.

Moi aussi j'étais désolée. Désolée pour tant de choses.

— Ça n'est pas grave. Je suis fatiguée, c'est tout.

Tripp inclina la tête et quitta la pièce.

Je me laissai retomber sur le lit et cachai mon visage dans mes mains. J'étais encore plus perdue que trois semaines auparavant.

— *Tu es sortie, Della ? Comment as-tu pu faire ça ? Qu'est-ce que je dois faire pour te mettre dans le crâne que tu ne peux pas aller dehors ? C'est dangereux !*

La voix stridente de ma mère n'était rien à côté de la douleur fulgurante de la ceinture en cuir avec laquelle elle me fouettait les jambes. Je ne hurlai pas. Ça la mettrait encore plus en colère. Elle se mettait toujours dans tous ses états quand je faisais le mur.

Mes jambes se dérobèrent sous moi tandis que la peau tendre derrière mes genoux se déchirait sous les assauts répétés du cuir.

— *Des maladies. Tu pourrais ramener des maladies à la maison. Non seulement tu es imprudente, mais en plus tu es égoïste, s'écria-t-elle.*

Par chance, sa voix recouvrit mon cri. Je ne pouvais plus le réprimer. La douleur était insoutenable. Parfois, je me demandais pourquoi je rentrais à la maison. Pourquoi ne pas m'enfuir ? Courir jusqu'à me libérer de tout ça. D'elle.

Mais c'était impossible. Elle avait besoin de moi. Jamais je ne serais libre. Je ne pouvais pas l'abandonner. C'était ma mère. Je n'avais personne d'autre.

— Est-ce que tu penses à moi ? NON ! Est-ce que tu penses à ton frère ? NON ! Ça le bouleverse, quand tu quittes la maison. Comment peux-tu faire ça ? vociféra-t-elle tandis qu'un autre coup déchirait l'arrière de mes jambes.

Dans ces moments-là, quand la violence dépassait les bornes, je voulais être cet enfant mort. La souffrance allait trop loin.

Le décor changea. Ma mère ne me surplombait plus avec le visage dément qui était le sien quand elle me tabassait. À présent, il n'y avait plus la moindre vie dans son regard et elle gisait dans une mare de sang. Je poussai un cri.

— Chuuut, Della, c'est fini. Je suis là. Chuut.

La voix était lointaine mais perceptible. Les images de ma mère morte s'effacèrent tandis que je me concentrais sur la voix. Je me rendis compte que les sanglots étaient les miens.

— Ça y est. C'est fini. Je suis là.

J'ouvris les yeux et discernai Tripp. C'est sa voix que j'avais entendue. La peur sur son visage en disait long. Il me tenait dans ses bras et me berçait d'avant en arrière en prononçant des paroles apaisantes. Il n'était pas préparé à ce qu'il venait de voir. Je pouvais lire la perplexité dans son regard.

— Je suis désolée, articulai-je d'une voix rauque.

J'avais la gorge sèche à force d'avoir crié. Comme toujours dans ces cas-là. Braden avait été la première à être témoin de tout ça. Mon psychologue avait parlé de terreurs nocturnes. Mon traumatisme s'exprimait lorsque je dormais et que je baissais la garde. Malheureusement, rien n'avait pu y remédier. La nuit, ma mère me rendait toujours visite. Et avec elle, les souvenirs.

— Chut, dit-il en posant l'index sur mes lèvres et en secouant la tête. Non. Je ne te laisserai pas t'excuser.

Je me tus. Je quittai ses genoux pour me rallonger dans mon lit. Tripp ne bougea pas.

— Ça t'arrive souvent? finit-il par demander.

— Oui.

Normalement je me réveillais seule lorsque me revenaient les images de cette nuit-là, quand j'avais retrouvé ma mère.

— Et tu fais face à ça toute seule, chaque nuit? (J'acquiesçai.) Merde, murmura-t-il en se relevant. Della, pourquoi tu restes toute seule? Tu ne devrais pas! Comment tu as fait pour t'en sortir jusqu'à maintenant? (Il se frotta les yeux avant de se passer les mains dans les cheveux d'un geste de frustration.) C'était sévère. Tu te rends compte à quel point c'est flippant? Merde, Della, tu peux pas rester toute seule.

Je ramenai la couverture sous mon menton et m'appuyai contre la tête de lit. C'est le moment où Tripp allait se rendre compte que voyager avec moi n'était pas exactement ce qu'il avait imaginé. Ce n'était qu'une question de temps.

— Je vais bien. La présence de quelqu'un ne change rien. Je partirai dans la matinée.

Tripp secoua la tête et s'assit face à moi.

— Tu n'iras nulle part. Quoi que tu sois en train de penser, tu as tout faux. Ça ne change rien pour moi, Della. C'est juste que je n'étais pas préparé. (Je n'étais pas certaine de le croire, mais je hochai néanmoins la tête.) Demain matin, je t'emmène jouer au golf. Puis on déjeunera ensemble. Le moment est venu de faire connaissance.

Woods

Je n'avais pas réussi à trouver le sommeil. J'avais passé la nuit sur mon balcon à regarder les vagues et à tirer plusieurs conclusions. La première était que je ne serais jamais heureux si j'épousais Angelina et qu'elle non plus. La seconde, que j'allais devoir renoncer à mon rêve de diriger le Kerrington Club. Mon père n'allait pas me pardonner de désobéir à l'injonction d'épouser une Greystone. Mais Della avait tout chamboulé. Je n'en avais plus rien à foutre. C'est elle que je voulais. Peu importe pour combien de temps, c'est elle que je voulais. Je n'arrêtais pas de penser à elle et de me torturer à l'idée que je ne pourrais jamais l'avoir.

Mon avenir allait complètement basculer parce que j'avais Della Sloane dans la peau. Je la désirais. Il m'était devenu impossible de le nier. Ce n'était pas une banale histoire de sexe. Au début oui, mais plus maintenant. Je m'étais suffisamment rapproché d'elle pour sonder son âme. Je savais qu'elle était généreuse et attentionnée. Elle n'attendait rien de moi et était simplement contente de vivre. Elle était blessée mais bataillait dur pour passer outre. Pas d'histoire à faire pleurer dans les chaumières. Tout ça dans une magnifique personne. Avais-je déjà rencontré une fille comme ça ?

Le soulagement que j'éprouvais à l'idée de ne pas devoir abandonner ce qui pourrait bien être la meilleure chose qui me soit jamais arrivée juste pour obéir aux ordres de mon père était incroyable. Je pouvais de nouveau respirer normalement.

Je décrochai mon téléphone et demandai à Angelina de me retrouver dans mon bureau à 11 heures. Ce qui lui laisserait le temps de dormir et de s'habiller. Une fois que ce serait fait, j'irais voir Della et la supplierais à genoux s'il le fallait.

La laisser avec Tripp la veille avait été la claque dont j'avais besoin. La mascarade de ma relation avec Angelina était grotesque. Elle le savait très bien. Nous étions tous les deux tellement assoiffés de pouvoir dans les entreprises paternelles que nous étions prêts à renoncer à l'amour. Même si Della n'était pas arrivée dans ma vie en me forçant à prendre mes distances par rapport aux exigences de mon père, je n'aurais pas été capable de marcher jusqu'à l'autel et de dire « oui ».

Un coup furtif à la porte de mon bureau précéda l'arrivée d'Angelina. Sa longue chevelure blonde était nouée en un chignon lâche d'où s'échappait une cascade de boucles. Sa robe courte en lin mauve n'avait pas un pli et j'étais prêt à parier que sa paire de talons hauts assortie coûtait plus de six mois de salaire moyen. Le diamant à sa main gauche me narguait et reflétait les rayons du soleil qui s'engouffraient par la fenêtre. Il était poli et serti aussi parfaitement que la main qu'il ornait. Angelina avait toujours été d'une rare élégance. Élevée pour être le pion de son père. La jeune fille à laquelle j'avais tenu par le passé se trouvait quelque part sous cette façade.

— Ne fais pas ça, ordonna-t-elle en raidissant sa colonne et en se saisissant du dossier de la chaise à côté d'elle.

Je n'avais pas prononcé un seul mot mais elle savait déjà. L'évidence aurait dû nous suffire à tous les deux.

— On ne peut pas leur obéir. Je l'ai laissé me forcer la main jusqu'ici, mais c'est fini. Je ne peux plus.

Les yeux d'Angelina brillaient de colère et de dégoût. Elle ne comprenait pas. Je pensais qu'elle allait peut-être me remercier mais je me rendis compte que ça n'arriverait jamais. Elle s'était préparée à aller jusqu'au bout. Pourquoi ? Son père trouverait quelqu'un d'autre. Potentiellement quelqu'un qui pourrait l'aimer. Qui ne l'épouserait pas uniquement pour le nom et la fortune de son paternel.

— Tu commets la plus grosse erreur de ta vie, lâcha-t-elle en serrant les dents.

Je contournai mon bureau et m'assis.

— T'épouser aurait été la plus grosse erreur de ma vie. On se serait haïs. Je ne peux pas laisser mon père me contrôler. S'il ne veut pas que je dirige l'entreprise, alors tant pis. Au moins j'aurai pris mes propres décisions.

Angelina leva les yeux au ciel comme si mes paroles étaient ridicules.

— Mais écoute-toi ! Tu n'as jamais connu autre chose que ce monde-là. L'existence que tu t'apprêtes à bousiller parce que tu refuses qu'on te dicte ta conduite est la seule que tu connaisses. Tu réagis comme si notre mariage était la pire chose qui puisse t'arriver. Nous étions proches, à un moment, Woods. Nous étions amis. Nous pourrions retrouver ça si tu acceptais la situation et si tu arrêtais de te renfermer.

Lorsque nous étions enfants, nos parents nous avaient toujours laissés seuls. Nous partagions une vie ratée. Elle avait raison ; nous étions amis. Mais je n'avais jamais désiré plus.

— Ce n'est pas parce que nous étions amis qu'on peut nous forcer contre notre volonté. Depuis qu'on est gamins, tes parents me fourguent dans tes pattes.

Quelqu'un saura t'aimer. Te désirera pour ce que tu es.
Ne te contente pas de moins que ça. La vie est courte et
j'en ai assez de la gâcher.

Elle leva les mains au ciel et poussa un grognement
excédé.

— Parfait. Comme tu veux. Je ne vais pas t'implorer.
Ce n'est pas comme si je ne pouvais pas faire mieux.
Je m'étais dit que t'épouser était dans mon intérêt. Tu
me connais et on a une histoire commune. Mais je ne
m'acharnerai pas. J'ai ma fierté et je ne resterai pas ici
à te supplier. (Elle retira le diamant de sa main et le fit
claquer sur le bord du bureau.) Prends-le. On sait tous
les deux que je n'en ai pas besoin.

Je voulus ajouter quelque chose. Des excuses ou au
moins quelques mots pour l'apaiser, mais rien ne me vint
à l'esprit. Je pouvais m'estimer heureux qu'elle ne m'ait
rien balancé à la figure.

— Au revoir, Woods. J'espère que le jeu en vaudra la
chandelle, proféra-t-elle avant de sortir.

Je lui laissai le temps de quitter le bâtiment avant de
partir. Il fallait que je voie Della.

Della

J'étais nulle au golf.

Lorsque la balle s'envola une fois encore dans les arbres, je me tournai vers Tripp qui riait sous cape. Au moins, mon manque de bol au swing le faisait marrer.

Lorsqu'il m'avait réveillée à 7 heures ce matin pour arriver à temps à notre réservation de golf, je n'avais pas été des plus ravies. Mais après la façon dont il m'avait aidée à traverser l'épisode de la nuit, je lui devais bien ça. Je m'étais traînée hors du lit pour m'habiller. Et là, dix-sept trous et douze balles perdues plus tard, je me disais que j'aurais mieux fait de rester au lit. Oui, je voulais apprendre à jouer au golf, mais pas aux aurores, et maintenant que je constatais à quel point j'étais mauvaise, je ne voulais plus jamais réessayer.

— J'abandonne, concédai-je en lui tendant mon club.

— Tu fais des progrès. Tu as juste visé un peu trop haut, répliqua Tripp en gloussant de rire.

— Laisse tomber. On sait tous les deux que je suis irrécupérable. Je peux te regarder terminer la partie ?

Tripp glissa le club dans le sac.

— On peut s'arrêter là. Tu t'es appliquée. On devrait peut-être passer un peu de temps sur le practice et travailler ton swing avant de revenir sur le green.

À l'entendre, on allait retenter l'expérience. Pourtant, je n'avais pas l'intention de rejouer au golf un jour. Mais je ne voulais pas être désagréable et ne dis rien. Je grimpai dans la voiturette et Tripp nous conduisit au club.

Sans réfléchir, je me mis à chercher des yeux le pick-up de Woods. Je pouvais toujours essayer de me convaincre que c'était pour m'assurer qu'il n'était pas là et que je n'allais pas le croiser. Mais c'était faux. J'étais maso.

— Et merde, grogna Tripp avant de garer la voiturette.

Je tournai la tête vers lui pour voir ce qui n'allait pas lorsque mon regard tomba sur celui de Woods. Il se dirigeait vers nous.

— On le croirait investi d'une mission, bougonna Tripp.

Woods hocha la tête à l'attention de Tripp avant de le dépasser et de s'arrêter devant moi.

— Faut qu'on parle.

— Ça n'a pas suffi, la nuit dernière? intervint Tripp sur un ton menaçant.

Woods l'ignora et poursuivit :

— J'ai rompu les fiançailles. Angelina vient de partir, c'est fini. Totalement fini. (Il me prit par la main.) Je t'en prie, parlons.

Il avait rompu ses fiançailles? J'avais l'impression de rêver. Mais pourquoi? Il désirait tout ce qu'un mariage avec Angelina pouvait lui offrir. Pourquoi y mettre un terme?

— Je ne comprends pas, répliquai-je dans un murmure à peine audible.

Un sourire sexy se dessina sur les lèvres de Woods.

— C'est bien pour ça qu'il faut qu'on parle.

Je jetai un regard à Tripp, qui se contenta de hausser les épaules. J'étais censée déjeuner avec lui. Je ne pouvais pas le planter. J'aurais voulu qu'il dise quelque chose au lieu de ce haussement d'épaules.

— Nous… Tripp et moi avions prévu de déjeuner ensemble, répondis-je, le regard toujours posé sur Tripp.

Celui-ci détourna les yeux et les posa sur Woods avant de secouer la tête en souriant légèrement.

— Je ne me mêle pas de ça. Va avec lui. S'il vient de rompre avec Angelina, ce qu'il a à te dire est plus important que ce que je pensais. (Puis, tournant toute son attention vers Woods :) Fini la marionnette. Il était temps, bordel, lâcha-t-il avant de s'éloigner.

Lorsque je regardai de nouveau Woods, il souriait de toutes ses dents.

— Tu déjeunes avec moi ?

Je regardai le restaurant du club derrière lui. Je ne voulais pas déjeuner là-bas avec le patron. Hors de question que mes collègues de travail me servent. Mais je voulais parler à Woods. Il n'était plus fiancé. Mon cœur se mit à battre la chamade. Woods était libre.

— Je ne vais pas être très à l'aise au club. Est-ce qu'on peut discuter d'abord, puis trouver un autre endroit pour déjeuner ?

— Comme tu veux. (Il m'attira vers lui et désigna son pick-up du menton.) Allons faire un tour.

Une fois au volant, Woods ne démarra pas. Il se tourna vers moi. Ses yeux brun foncé, sérieux, étaient exempts de tristesse.

— Je suis désolé pour mon attitude la nuit dernière. Je n'aurais pas dû te parler comme ça. Je paniquais et j'ai perdu mes moyens.

Je glissai sur mon siège de manière à lui faire face.

— Pourquoi paniquais-tu ?

Woods haussa un sourcil comme s'il considérait que la réponse tombait sous le sens.

— Parce que Tripp parlait de t'emmener voyager avec lui. (Oh.) Il faut que tu comprennes quelque chose. Que ce soit bien clair. Je n'ai jamais aimé Angelina. Je n'ai jamais voulu l'épouser. Je l'ai demandée en mariage parce que c'était essentiel pour obtenir ce que je pensais avoir toujours désiré. Mais tu as tout changé. Je me suis rendu compte que je voulais autre chose. Je ne voulais pas qu'on me contrôle. Et je voulais avoir une chance avec toi. Même si tu n'as pas l'intention de rester. Même si tu n'aimes pas t'engager, je veux passer ce temps-là avec toi.

La perspective de perdre sa liberté n'avait pas été une raison suffisante pour refuser d'obéir ? Il avait fallu que je débarque dans sa vie pour qu'il tienne tête à son père ? Pourquoi moi ? Je ne comprenais pas.

— Et si en faisant ma connaissance tu te rends compte que cela n'en vaut pas la peine ? Tu seras quand même content d'avoir tout envoyé promener ?

— Oui, dit-il en hochant la tête, le sourire aux lèvres. Tripp l'a bien dit en partant. Je ne suis la marionnette de personne. Il était temps que je tape du poing sur la table.

Il avait raison. Être sous le contrôle de quelqu'un d'autre n'était pas une vie. Je le savais mieux que quiconque. Mais je ne voulais pas être la seule raison pour laquelle il abandonnait ce qui lui revenait de droit. La pression serait trop forte.

— Je suis d'accord. Ce n'est pas juste de ne pas être maître de ses propres décisions. Je veux seulement m'assurer que tu n'as pas fait ça à cause de moi. Parce que honnêtement tu vas vite te rendre compte que je suis encore plus paumée que ce que tu as pu entrevoir l'autre nuit.

Woods fronça les sourcils. Il n'aimait pas que je dise ça, mais il ne connaissait pas la vérité à mon sujet. Et ce n'est pas moi qui allais la lui raconter.

— Je n'aime pas que tu parles de toi comme ça, commenta-t-il d'une voix rauque.

Je pivotai de nouveau dans mon siège.

— Parlons-en une autre fois. Je meurs de faim.

J'avais des tas de questions à lui poser (allait-il perdre son boulot, son père allait-il le licencier, avait-il d'autres projets?), mais, étant donné que je refusais de continuer à parler de moi et de mon avenir, je ne pouvais pas lui demander de s'épancher sur le sujet.

On pouvait déjeuner quelque part en attendant la suite. Il allait peut-être comprendre son erreur avant la fin de la journée et se précipiter dans les bras d'Angelina pour implorer son pardon. Il n'était pas nécessaire d'avoir une conversation sérieuse tout de suite. Je voulais apprécier l'instant avec lui sans la culpabilité de désirer un homme déjà pris.

Woods

Della avait mangé son sandwich en silence. Elle était restée concentrée sur son déjeuner depuis qu'on l'avait servie. J'avais eu du mal à manger ; l'observer était beaucoup plus divertissant. Elle s'essuya délicatement la bouche avec une serviette et leva les yeux sur moi. Ses joues se mirent à rougir et son regard brilla.

— Je mourais de faim. Le golf m'a épuisée. Je ne sais pas trop pourquoi vu mon niveau, expliqua-t-elle en reposant la serviette sur ses genoux.

— C'est la première fois que tu jouais au golf ? enchaînai-je en essayant de réprimer ma jalousie à l'idée que Tripp l'avait accompagnée.

— Oui, je voulais apprendre et Tripp m'a proposé d'y aller avec lui. Étant donné le nombre de balles que j'ai perdues, il doit le regretter, maintenant.

Je me mis à rire. Connaissant Tripp, il ne devait pas regretter une seconde. J'espérais simplement qu'il en avait bien profité, parce que c'est le seul tête-à-tête qu'il aurait avec elle.

— Il te faut un bon prof, c'est tout.

Della pinça les lèvres et fronça les sourcils d'un air absorbé. Puis elle secoua la tête.

— Non, c'est sans espoir. Je n'ai pas l'intention de te faire perdre ton temps.

L'opportunité d'enrouler mes bras autour d'elle pour lui apprendre à manier un club de golf avant de reculer pour contempler ses fesses en plein swing n'était pas ce que j'appellerais une perte de temps. Je m'abstins pourtant de tout commentaire.

— On verra, me contentai-je de dire.

La serveuse apporta l'addition. Je laissai suffisamment d'argent pour couvrir le repas et un généreux pourboire avant de me lever et de tendre la main à Della. J'en avais assez d'être en public avec elle. Je la voulais pour moi seul. J'avais beaucoup à dire mais, avant toute chose, je voulais la serrer dans mes bras. Ça faisait trop longtemps.

— On va où ? interrogea-t-elle en se redressant à côté de moi.

— Chez moi. Je veux te montrer à quoi ça ressemble. Notamment la vue. Ça te va ?

Della hocha la tête. J'essayais de me tenir, ce qui n'était pas une mince affaire. Je n'arrivais pas à chasser l'image d'elle nue dans mes draps. J'en avais envie.

— J'adorerais voir ta maison.

Nous regagnâmes le pick-up. Della grimpa du côté passager et je ne me gênai pas pour reluquer son cul moulé dans son petit short blanc. Il n'y avait aucune marque et l'idée qu'elle ne portait pas de culotte me donnait des bouffées de chaleur. Il fallait que je pense à autre chose, n'importe quoi, sinon j'allais bander et être particulièrement mal à l'aise.

— Tripp a l'intention de rester en ville combien de temps ?

Voilà qui devrait faire l'affaire. Se souvenir qu'elle partageait un appart avec un autre gars. Qui en plus avait envie d'elle.

— Il n'a pas précisé. Je pense qu'il en avait assez de Dallas et qu'il voulait repasser par ici avant de s'arrêter ailleurs.

Sa manière de décrire la vie de Tripp comme si elle était parfaitement banale me rappela qu'elle menait le même genre d'existence. Que je ne comprenais pas. Et en même temps, si mon père me virait, je finirais aussi paumé que lui. Et l'idée de quitter la ville en compagnie de Della n'était pas pour me déplaire.

La sonnerie de mon portable retentit dans ma poche et je sus aussitôt qu'il s'agissait de mon père. Il avait fallu à Angelina plus de temps que je ne l'aurais pensé pour lui faire savoir que les fiançailles étaient rompues. Son plan magistral venait de tomber à l'eau.

Je plongeai la main dans ma poche pour éteindre le téléphone. Je m'occuperais de lui plus tard. Pour l'instant, je voulais me concentrer sur Della. Le face-à-face avec mon père allait me porter un sacré coup au moral. Je n'en avais pas envie aujourd'hui.

— Tu travailles, ce soir ? demandai-je.

Si c'était le cas, j'appellerais pour modifier les emplois du temps.

— C'est mon jour de repos, dit-elle avec le sourire. Ce n'est pas toi qui gères le planning ?

Si, mais cette semaine avait été un cauchemar. Je ne me souvenais pas quelle récup je lui avais donnée.

— C'était pour vérifier, répondis-je avant de m'engager dans l'allée en briques menant chez moi.

Ça avait été la première maison de mes parents. Mon grand-père la leur avait prêtée jusqu'à ce que mon père gagne suffisamment d'argent pour acheter la villa rêvée de ma mère. À la mort de mon grand-père, je reçus la maison en héritage. Ce qui avait excédé mon père au plus haut point. Il voulait exercer un contrôle complet sur moi. Et moi j'aurais vraiment eu besoin que mon grand-père me laisse une part du country club. Ce qu'il n'avait pas fait.

— Woods! C'est magnifique! s'exclama Della.

Comparée à celle de mes parents ou aux constructions modernes de Rosemary, elle n'avait rien de faramineux. Mais elle avait du charme.

— Merci.

Della sortit de la voiture d'un bond avant que j'aie eu le temps de l'aider.

— On dirait une maison en bord de mer comme dans les films. Avec les volets anti-ouragans et la grande véranda. C'est divin.

À l'entendre s'épancher sur la maison, j'eus encore plus envie de la porter à l'étage jusque dans ma chambre. J'adorais cet endroit. C'est la seule chose qui m'appartenait.

— J'ai hâte de voir l'intérieur. Je pourrais vivre sous ton porche. La vue doit être sublime.

Ce n'est pas moi qui l'empêcherais de s'installer sous mon porche. Ni d'entrer dormir dans mon lit. Je préférai ne rien dire. Ça faisait trop. Trop tôt. Jusqu'ici nous avions partagé quelques instants et des épisodes de sexe torride. Il fallait construire à partir de ça. J'en avais envie.

— Monte! Tu vas voir, la vue est géniale.

Della m'emboîta le pas dans l'escalier. J'ouvris la porte d'entrée et m'effaçai pour la laisser entrer en premier. Jusqu'ici, je ne m'étais jamais préoccupé de l'agencement, mais maintenant que Della inspectait chaque recoin de la maison, je regrettai de ne pas avoir changé grand-chose depuis que mon grand-père m'avait légué l'endroit.

C'est sa femme qui l'avait aménagé. Ils avaient passé les dernières années de la vie de ma grand-mère entre ces murs. Lorsqu'on avait diagnostiqué son cancer en phase terminale, ils avaient vendu leur immense résidence à Seaside pour emménager ici. Après son décès, mon grand-père avait habité chez mes parents pendant trois mois avant de succomber à une crise cardiaque.

Cette maison était chaleureuse. Je n'avais pas passé beaucoup de temps à repenser la déco. Je ne recevais personne. Je travaillais trop pour ce type de vie mondaine.

Della fit courir ses doigts sur le divan en cuir fatigué et se retourna lentement, examinant chaque détail que ma grand-mère avait pris le soin de laisser derrière elle. Elle adorait peindre. La revoir peindre des toiles dehors sous le porche à la fin de sa vie m'emplissait toujours d'un sentiment de paix.

— Ces tableaux sont magnifiques. Si lumineux et joyeux, commenta Della en s'arrêtant devant l'un des préférés de mon grand-père.

Lorsque j'avais voulu le lui rendre, il avait refusé. Elle voulait que les tableaux restent dans la maison.

— C'est un des trous sur le parcours de golf, affirma-t-elle.

J'étais impressionné qu'elle le reconnaisse.

— Le préféré de mon grand-père. C'est là qu'il a réussi son unique trou en un. Au quinzième.

— Et il est accroché à ton mur, observa Della en souriant.

— Il est de ma grand-mère. Elle a peint tous ces tableaux.

Della ouvrit les yeux grands comme des soucoupes et se mit à contempler toutes les autres toiles.

— Elle avait un réel talent.

Je partageais cet avis. Elle était effectivement très douée, et pourtant elle avait renoncé à ses rêves pour ceux de mon grand-père. J'avais toujours entendu ma mère affirmer avec virulence qu'elle n'était pas une carpette comme sa belle-mère. Je n'ai jamais perçu ma grand-mère comme ça. Elle était discrète et réservée, mais elle contrôlait bien plus que quiconque pouvait se l'imaginer. Elle possédait le cœur de mon grand-père. Aussi froid et insensible qu'il pût être, elle le possédait. Et l'avait chéri...

— Je ne m'attendais pas à ça... Pas chez un célibataire, dit-elle dans un murmure. J'adore.

— Viens voir la vue, l'invitai-je en ouvrant les portes donnant sur le porche.

Della s'appuya aussitôt contre la rambarde. La brise du large, mêlée à ses cheveux, dansa un instant autour de ses épaules. J'aimais beaucoup la voir ainsi. Je retournai à l'intérieur pour dégoter une bouteille de vin et deux verres.

Della

— Tiens, lança Woods en s'approchant derrière moi.

Je me retournai ; il me tendait un verre de rouge. Je bus une gorgée en espérant que mon ignorance en matière de vin ne se lise pas sur mon visage. J'étais sûre qu'il était hors de prix, mais j'étais incapable de faire la différence entre un grand cru et de la piquette. Je n'en avais pratiquement jamais bu.

— Merci, répondis-je d'une voix aussi assurée que possible.

— Viens t'asseoir. On apprécie tout aussi bien la vue d'ici, proposa-t-il en désignant deux chaises longues en tek.

Je me laissai tomber dans l'épais coussin matelassé et étendis les jambes.

Woods rapprocha l'autre chaise et s'y installa. Il abaissa les accoudoirs qui nous séparaient. Si je bougeais d'un pouce, je me frottais à lui. La tentation était grande.

— Je ne t'ai même pas demandé si tu aimais le vin rouge.

Il avait dû remarquer mes minuscules gorgées. J'avais décrété que j'aimais bien ça. Mais je ne savais pas trop quel effet ça aurait sur moi.

— Je ne savais pas trop si j'aimais ou pas. Jusqu'à présent, je n'en ai pas bu souvent. Mais il est bon.

Il sourit et avala une gorgée. Je n'aurais pas dû le dévisager, mais le mouvement des muscles de son cou lorsqu'il déglutissait était hypnotisant. Woods reposa son verre sur la table de l'autre côté de sa chaise sans cesser de soutenir mon regard.

— J'avais prévu d'être sage ce soir. Mais je ne peux pas. Pas quand tu me regardes comme ça, décréta Woods en prenant le verre de ma main pour le poser à côté du sien. Je crois que ça ira mieux si je peux en avoir juste un peu. Juste pour goûter. Ça fait trop longtemps et je n'arrive pas à penser à autre chose qu'à t'embrasser. (Il me caressa les lèvres du bout des doigts.) Et à toutes ces parties de ton corps que je veux toucher. (Il glissa une main autour de ma taille, puis jusqu'à mes fesses.) Nom de Dieu, bébé, tu n'as pas de culotte sous ton short.

L'idée que le tissu fin de mon short soit la seule matière absorbant la moiteur suscitée par ses mots m'inquiétait. Je ne voulais pas d'une tache entre les jambes. Quelle humiliation.

— Viens là, ordonna-t-il en me soulevant par la taille pour me poser sur ses genoux.

Je ne voulais pas le chevaucher. Si j'étais déjà humide ? Sa main se referma sur ma cuisse et je me mis à trembler. J'étais incapable de l'arrêter. Il écarta ma jambe par-dessus les siennes jusqu'à ce que mon entrecuisse soit au-dessus de lui. J'allais ravager mon short.

Woods glissa une main dans mes cheveux et inclina ma tête jusqu'à ce que ses lèvres recouvrent les miennes. Sa langue se glissa dans ma bouche et caressa la mienne. J'en oubliai aussitôt la catastrophe potentielle que j'aurais à régler rayon short. J'avais envie de lui. Il prit mon visage dans sa main et frôla mon palais de sa langue experte, ce qui me fit chavirer contre lui. La saillie tendue de son érection appuyait fermement contre mon désir

brûlant. Je connaissais la sensation de Woods en moi et
mon corps le réclamait.

— Tu es tellement douce, murmura-t-il tout contre
ma bouche.

Ses lèvres empressées suivirent la courbe de ma
mâchoire jusqu'à mon cou. La chaleur de son souffle fit
palpiter mes tétons.

Woods glissa une main entre mes jambes jusqu'à
atteindre la preuve formelle de mon excitation.

— Déjà mouillée, souffla-t-il dans mon cou avant de
sucer doucement ma peau. Ton short est trempé; tu sais
à quel point c'est sexy? (Ma respiration était bloquée,
j'étais incapable de répondre.) Je crois que tu ne t'en
rends pas vraiment compte, ajouta-t-il en continuant à
m'embrasser dans le cou.

Il leva les yeux sur moi et me scruta à travers ses paupières plissées. Sa bouche était tellement proche de mon
décolleté que j'avais envie de presser son visage contre
ma poitrine en le suppliant.

— Della, ce soir, il n'était pas question de sexe. Je voulais juste goûter. Le problème, c'est que j'avais oublié à
quel point ton parfum est enivrant. J'ai envie de te pénétrer, mon cœur. Tout de suite. J'ai envie d'arracher ton
short et de me glisser au plus profond de toi.

J'étais prête à tout pour qu'il me touche davantage. Je laissai échapper un gémissement sans me
soucier de lui montrer à quel point j'étais vulnérable
et éperdue.

— Tu as mal? dit-il en baissant mon haut, puis mon
soutien-gorge, jusqu'à ce que mes seins soient entièrement découverts. J'adore les seins et ces deux-là sont les
plus beaux du monde. Parfaitement ronds et si doux. (Il
pressa ses lèvres contre un de mes tétons dressés dont il
lécha le sommet de sa langue tendue.) De vraies petites

cerises. Faites pour être sucées, susurra-t-il avant de prendre un sein dans sa bouche.

Je ne pus m'empêcher de saisir sa tête à deux mains pour le maintenir en place. Je ne voulais pas qu'il s'arrête. Je ressentais l'effet de sa langue jusqu'entre mes jambes. Chaque fois qu'il tirait sur un téton, des vagues délicieuses de plaisir se répercutaient dans tout mon corps. Lorsque Woods glissa une main dans mon short, je soulevai les hanches pour lui faciliter l'accès. Il laissa sa main recouvrir mon pubis imberbe et poussa un grognement lorsque son doigt rencontra ma moiteur chaude. J'étais trempée. J'en voulais plus.

Deux de ses doigts atteignirent mon clitoris gonflé et entreprirent de le caresser au rythme de sa bouche occupée à lécher mon sein. Il recula la tête et prit l'autre téton entre ses lèvres.

La sensation magique que seul Woods semblait capable d'engendrer commença à monter en puissance et j'écartai les cuisses le plus possible. Il pinça mon clitoris en même temps qu'il me mordait un téton et l'extase que j'attendais explosa autour de moi. Je lui tirai les cheveux et hurlai son nom tandis que mon corps tremblait sous l'effet d'un violent orgasme.

— Mon Dieu, souffla-t-il d'une voix haletante en me serrant dans ses bras contre son torse.

Je m'effondrai contre lui. Son souffle était aussi saccadé que le mien et je lâchai la poignée de cheveux entremêlés dans mes doigts.

— Pardon, lâchai-je d'une voix rauque.

— Pour quoi ? demanda Woods, les lèvres contre mon cou.

— Pour t'avoir tiré les cheveux.

Un doux rire fit vibrer son corps et il lécha la peau tendre qu'il avait mordue quelques instants plus tôt.

— Pas de quoi. J'ai adoré. C'était sexy. Si tu as encore envie de me tirer les cheveux en hurlant mon nom, ne te gêne surtout pas.

Je sentis son érection tressaillir contre moi et mon corps frémissant et comblé sursauta en retour. Nous n'avions pas terminé. C'était tout juste l'apéritif. Je balançai mes hanches contre lui, savourant les élancements délicieux que je ressentais. Les mains de Woods se refermèrent sur mes hanches et m'immobilisèrent.

— Arrête.

Je me figeai. Est-ce que je lui avais fait mal?

Il prit son inspiration, puis me souleva pour me dégager de ses jambes. J'avais peut-être crié trop fort et il préférait continuer à l'intérieur.

— Il faut que je travaille. Je ferais mieux de te raccompagner.

Quoi? Me raccompagner? Je restai assise tandis qu'il se relevait et arrangeait ses vêtements. Je ne bougeai pas. J'étais en train de digérer ce qui se passait.

Il baissa les yeux sur moi et une sorte de grimace traversa son visage. Avant que j'aie pu l'interroger, il remit mon soutien-gorge et mon haut en place, puis me tira par la main.

— Il faut que je te ramène, insista-t-il avant de s'emparer des verres à vin et de rentrer.

Je le suivis comme un automate. Il posa les verres sur le bar et attrapa ses clés. Il se retourna et me sourit, puis montra la porte d'un signe de la tête.

On était vraiment en train de partir. Très bien. Mon estomac se noua. J'avais fait une connerie. Avait-il vu combien j'avais envie de lui? Ça lui avait fait peur? Le désirer à ce point me terrifiait. Sa faculté à me faire sentir si bien me terrifiait. J'étais prête à tout pour qu'il ait envie de rester près de moi plus longtemps. Retourner à l'appart me laissait seule face à une nouvelle nuit de cauchemars. À mes souvenirs. Je désirais ce que Woods était capable de m'offrir. Mais c'était impossible. Il était en train de se débarrasser de moi.

Woods

Une fois Della dans mon pick-up, j'avais l'intention de tout expliquer. J'avais remarqué la confusion dans ses grands yeux bleus. Mais chaque fois que j'essayais de me lancer, je ne trouvais pas le moyen de le lui dire sans l'effrayer.

De plus, j'avais peur qu'elle me contredise, sachant qu'un simple regard suppliant suffirait à me faire flancher. Mon pénis palpitait douloureusement et le fait de savoir qu'elle ne portait pas de petite culotte et qu'elle était trempée après l'orgasme que je lui avais donné me faisait bander encore plus fort.

Pendant que je la touchais, je n'avais pensé à rien d'autre qu'à la jeter sur mon lit pour la baiser jusqu'à ce qu'elle hurle mon nom et me dise qu'elle m'appartenait.

Après qu'elle avait joui sur mes genoux, je savais que le moment était venu de prouver, à moi comme à elle, que je pouvais être altruiste. Cette soirée avait été pour elle. Il n'avait pas été question de ce qu'elle pouvait faire pour moi, mais uniquement de son plaisir. Je ne voulais pas que cette relation repose sur le sexe. Il y avait plus que ça avec Della. J'aimais sa compagnie. Je voulais la protéger. J'étais tellement subjugué par sa présence que j'en perdais toute lucidité.

La reconduire jusqu'à l'appart de Tripp allait me tuer. Je ne voulais pas qu'elle dorme là-bas dans une chambre à côté de la sienne, mais je ne pouvais pas vraiment l'installer chez moi. Ça irait beaucoup trop vite, et une fille comme Della prendrait la fuite. Je voulais éviter ça. J'irais la chercher n'importe où s'il le fallait, mais autant ne pas en arriver là. Je voulais qu'elle reste par désir d'être avec moi.

Et être le genre de mec pour lequel une nana ne met pas les voiles était plus difficile que je ne le pensais.

— J'ai fait quelque chose de travers ?

La question de Della me tira de mes pensées. On était déjà arrivés devant l'appartement de Tripp. J'avais tellement réfléchi à ce que je voulais lui dire que je n'avais pas pipé mot. Mince. Elle était inquiète. Je garai le pick-up et me tournai vers elle. Le pli qui barrait son front me fit de la peine. Je n'avais pas l'intention de la tracasser.

Je tendis la main et lissai la peau froncée avec le pouce.

— Pas du tout. Tu étais parfaite.

Le plissement ne bougea pas. Elle ne me croyait pas. J'aurais dû lui expliquer. Mais je n'arrivais pas à trouver les mots justes.

— O.K., si tu en es certain, dit-elle lentement avant de poser la main sur la poignée de porte.

— Attends, je vais t'ouvrir. Je te raccompagne à l'entrée.

Elle m'observait, le visage toujours barré d'incertitude. Son expression était adorable. Je lui tendis les mains et l'aidai à descendre. Mes yeux tombèrent sur la tache parfaitement visible sur son entrejambe. Jetant un regard alentour, j'aperçus la Harley de Tripp garée à côté de la voiture de Della. Jamais de la vie. Il était hors de question qu'il voie ça. Je plongeai sur la banquette arrière et en ressortis un sweater à capuche.

— Enfile ça, lançai-je en le passant sur sa tête avant qu'elle ait le temps de protester.

Elle m'obéit et glissa ses mains dans les manches. Le pull tombait à mi-cuisses, recouvrant parfaitement son short. Je poussai un soupir de soulagement.

— Pourquoi je porte ça ?

Elle me dévisageait comme si j'avais perdu la raison. Je glissai une main autour de sa taille et l'attirai contre moi avant de baisser la tête jusqu'à ce que mes lèvres arrivent à hauteur de son oreille.

— Tripp est là et cette jolie petite tache sur ton short ne s'adresse à personne d'autre qu'à moi. Une fois à l'intérieur, enfile un vêtement ample. Et pour l'amour de Dieu, mets une culotte.

Della hocha la tête et je la laissai partir en reculant d'un pas. Elle sentait trop bon. La voir toute petite dans mon sweatshirt n'arrangeait rien. Ma verge raide se gonflait davantage.

— Allez, file. Je vais rester ici. Si je t'accompagne à la porte, je ne pourrai jamais repartir.

Elle planta les mains dans les poches avant de mon sweater.

— O.K. Euh, je te vois demain, alors, balbutia-t-elle avant de tourner les talons.

J'attendis qu'elle soit rentrée avant de reprendre le volant. J'aurais dû la raccompagner jusqu'à l'entrée, mais la voir chez Tripp aurait fait surgir l'homme des cavernes en moi ; je l'aurais suivie à l'intérieur et nous aurais enfermés dans sa chambre. C'était le seul moyen de la laisser partir.

Le moment était venu de gérer la situation avec mon père.

Le froncement de sourcils de ma mère m'attendait à la porte d'entrée. Elle alla droit au but, sans prendre la peine de me demander comment j'allais.

— Ton père est dans son bureau, dit-elle en désignant le couloir avant de tourner les talons.

La plupart du temps, si je faisais exactement ce qu'elle voulait, ma mère était affectueuse envers moi. Mais si j'échouais ou la contrariais, elle ne se gênait pas pour me faire part de son opinion. J'aurais dû être bien au-dessus de tout ça. Après tout, j'avais vingt-quatre ans et l'approbation de ma mère était un vestige du passé. Pourtant, son amour conditionnel n'était pas toujours facile à digérer.

Je frappai à la porte du bureau et entrai sans attendre. De toute façon, il était déjà en rogne contre moi. Je le trouvai assis au téléphone. Il me fusilla aussitôt du regard par-dessus ses lunettes.

— Bien sûr. C'est aussi mon avis. Woods vient de passer la porte. Je vais lui parler et vous rappelle pour envisager la suite, conclut-il avant de raccrocher et de s'adosser à son fauteuil en me gratifiant d'un regard méprisant.

L'amertume de savoir que mon grand-père lui avait attribué le titre de vice-président et ce grand bureau à la fin de ses études ne me quittait pas. Il se comportait comme si j'avais tant à prouver alors que j'avais plus bossé que lui pour ce club. Il ne s'était jamais sali les mains. Il n'avait jamais géré le personnel. Et pourtant il voulait que je paie mon tribut.

— J'espère que tu es venu m'expliquer pourquoi tu fiches par terre tout ce pour quoi nous avons travaillé sous prétexte que tu penses que « tu seras malheureux ». Foutaises ! Aucun homme digne de ce nom ne serait malheureux avec une femme comme Angelina Greystone.

Il n'avait pas eu à travailler à l'œil. On ne lui avait pas imposé sa femme. Je serrai les dents en réprimant un flot d'injures. Ça ne servirait à rien.

— Je ne l'aime pas. Elle ne m'apprécie pas beaucoup. Je n'ai pas pu continuer. Je suis désolé, mais même si je désire ardemment le poste qu'on m'a fait miroiter comme étant le mien, je ne gâcherai pas ma vie ni la sienne.

Mon père se pencha en avant et planta les coudes sur son bureau.

— L'amour n'est pas la condition d'un mariage réussi. L'amour ne dure pas. Il s'en va. La réalité te rattrape et, en cas de coup dur, l'amour disparaît et il ne te reste plus rien. Il faut épouser quelqu'un qui veut la même chose que toi. Qui n'attend pas une bluette mais du succès. Angelina le comprend parfaitement. Toi non.

Quand ma grand-mère était malade, je rendais visite à mes grands-parents dès que je le pouvais. Un jour, j'étais assis sur le porche avec mon grand-père qui observait ma grand-mère en train de peindre l'une de ses nombreuses toiles. L'amour et l'affection sur son visage étaient sans ambiguïté. Il s'était alors retourné vers moi et m'avait dit :

— Ne passe pas à côté de l'amour d'une honnête femme, fiston. Quoi que te raconte ton paternel, l'amour existe. Je n'aurais jamais eu autant de succès dans ma vie sans cette femme que tu vois là. Mon épine dorsale. La raison de tout ce que j'ai entrepris. Un jour, le désir de te faire un nom commencera à s'émousser. Tout cela aura moins d'importance. Mais si tu l'accomplis pour quelqu'un d'autre, quelqu'un pour qui tu pourrais déplacer des montagnes, alors tu ne perdras jamais le désir de réussir. Je ne peux pas imaginer un monde sans elle. J'en serais incapable.

Je n'avais jamais repensé à ces mots jusqu'à aujourd'hui. L'homme qui avait élevé mon père lui

ressemblait beaucoup à bien des égards. À une différence près. Mon père faisait tout pour lui-même. Sa soif
de succès était égoïste. Il n'était pas motivé par l'amour.
Mon grand-père avait construit son empire par amour
pour la femme qu'il avait épousée. Je l'avais vu de mes
propres yeux. Je ne voulais pas être comme mon père. Je
voulais être mon grand-père.

— Nous ne serons jamais d'accord, restons-en là,
conclus-je.

Je savais que la mention de ses parents le mettrait
dans une colère noire. Il avait toujours pensé que mon
grand-père avait pris de mauvaises décisions, bien qu'il
ait construit cette entreprise. Mon père eut un petit sourire narquois et secoua la tête.

— Non, nous n'en resterons pas là, parce que c'est
moi qui commande ici. Si tu choisis de ne pas faire ce
qui est le mieux pour le club et ton avenir, alors tu n'es
pas près de prendre la suite de quoi que ce soit. Je ne vais
pas te promouvoir si je ne peux pas te faire confiance
pour prendre des décisions avisées. Ton poste actuel est
assuré pour le moment, mais cela ne veut pas dire que
quelqu'un de plus fiable ne te remplacera pas un jour.

Non seulement il me retirait le boulot pour lequel
j'avais travaillé dur, mais il menaçait aussi ma situation. J'avais envie de lui hurler d'aller se faire foutre et
de me tirer. Je finirais peut-être par le faire un jour. En
attendant, par respect pour l'homme qui avait bâti cette
entreprise avec le désir de la transmettre aux Kerrington de génération en génération, je décidai de rester. Cet
homme-là avait mon respect. En revanche, le type en
face de moi ne m'en inspirait aucun. Et s'il me poussait
trop fort, j'allais finir par me casser. Auquel cas je n'étais
même pas sûr de lui manquer.

Della

J'enfilai un jogging et un T-shirt avant de rejoindre Tripp dans le salon. Je préférais d'abord réfléchir. J'essayais encore de comprendre ce qui s'était passé et ce qui avait déplu à Woods. Il m'envoyait toutes sortes de signaux contradictoires. Soit je le dégoûtais et il ne voulait plus coucher avec moi, soit il était déjà prêt à se débarrasser de moi. Je ne savais pas trop. Pourtant, il m'avait passé son sweater et dit de mettre des vêtements larges. Que penser de ça ?

Tout de suite après mon orgasme, il avait voulu en finir avec moi. Sur la route du retour, j'avais réussi à me convaincre que j'avais crié trop fort et que je lui avais fait mal en lui tirant les cheveux comme une malade. Et puis, il avait peut-être été aussi gêné que moi par la tache sur mon short ; c'est pour cela qu'il m'avait couverte. Il ne voulait pas que Tripp me voie et comprenne qui en était à l'origine. Je ramassai son sweater à capuche et l'enfilai. Il avait l'odeur de Woods. Ça me plaisait. J'aurais voulu le sentir davantage ce soir. Le sentiment de rejet que j'avais espéré éviter était en train de prendre racine.

Je pouvais en parler à Tripp. Sans rentrer dans le détail, je pouvais demander un point de vue masculin sur la question.

Tripp leva les yeux de son livre et me sourit.

— Tu portes déjà les fringues de Kerrington. La vache, il ne perd pas une minute, celui-là.

Je poussai un soupir et me laissai tomber dans le canapé en face de son fauteuil.

— Faut pas se fier aux apparences, crois-moi, lâchai-je d'une voix un peu plus abattue que prévu.

— Oh oh. Qu'est-ce qui ne va pas ? demanda Tripp en reposant son livre sur la table à côté de lui avant de se redresser.

Je pesai mes mots ; je voulais son opinion sans trop en dire.

— Woods a rompu avec Angelina et nous nous sommes retrouvés pour en parler. (Tripp opina du chef : il le savait déjà mais je m'emmêlais un peu.) On a déjeuné ensemble et il m'a expliqué qu'il n'était pas heureux avec elle. Il ne veut pas qu'on le force à épouser quelqu'un. Et puis on est allés chez lui. Il voulait me montrer sa maison. J'ai adoré.

Je m'interrompis et me mordis la lèvre inférieure en réfléchissant à la suite de mon récit.

— Il n'amène jamais de fille dans cette maison. Elle était à ses grands-parents, c'est un lieu sacré. Je n'y suis allé qu'à de très rares occasions.

La remarque de Tripp retint mon attention.

— Les peintures de sa grand-mère sont encore accrochées aux murs. Elles sont magnifiques.

Tripp haussa les sourcils.

— Il t'a parlé d'elle ? (Je hochai la tête et Tripp croisa les bras sur sa poitrine en souriant.) Sérieusement, ma belle, tu lui as fait quoi, à Kerrington ?

Je me posai la même question.

— Je crois qu'il s'est rendu compte que m'amener chez lui était une erreur. Je… nous… ça s'est un peu échauffé sur le porche et puis il s'est arrêté et il m'a reconduite ici. En me disant qu'il avait des trucs à faire. Comme ça. Sans explication. C'était bizarre.

Tripp fronça les sourcils et resta assis quelques instants en silence avant de m'interroger :

— Vous avez déjà… couché ensemble, non ? C'est ce que j'avais cru comprendre. (Je hochai la tête.) Mais pas aujourd'hui.

— Non, il était prêt à se débarrasser de moi.

Tripp se frotta le menton et secoua la tête.

— Je ne sais pas ce qui se trame. Ça ne ressemble pas au mec que je connais. (Il se pencha en avant, les coudes sur les genoux.) Ça va ? Ça t'a chamboulée ?

J'étais un peu perdue et blessée, mais tout allait bien. Je souris.

— Ça va. Je ne suis pas sûre de comprendre ce qui s'est passé. Je n'arrête pas de me dire que j'ai dû faire une bêtise.

Tripp tendit la main et tira sur la manche du sweater appartenant à Woods.

— Tu l'as depuis quand ?

Impossible de lui expliquer pourquoi Woods m'avait fait porter ça. C'était trop indiscret.

— Euh, quand il m'a ramenée ici. Il me l'a mis avant de me renvoyer ici.

Un léger sourire planait sur les lèvres de Tripp.

— Il avait vu ma bécane ? (Je hochai la tête.) Qu'est-ce qu'il t'a dit quand il t'a mis le pull ?

— Il m'a dit de rentrer et d'enfiler des vêtements amples.

Tripp éclata de rire en se laissant retomber dans son fauteuil. Une fois son fou rire passé, il considéra mon jogging puis releva les yeux sur moi.

— Et tu as fait ce qu'on t'a demandé. (Je hochai la tête de plus belle.) Tu lui plais. Il doit flipper un peu et ça lui fait faire des trucs bizarres, mais tu lui plais. Les fringues larges, c'est pour éviter qu'il ne me vienne des idées en te regardant. Kerrington est en mode possessif. C'est une première, et c'est à mourir de rire. Je crois que je vais lui envoyer un SMS pour lui dire qu'on va se baigner pour voir en combien de temps il ramène sa face de jaloux.

— Non, ne fais pas ça ! Je crois qu'il allait voir son père.

— Je plaisantais, me rassura Tripp en souriant. C'est marrant, c'est tout.

Il se tut. Je détestai ce silence pesant. J'étais néanmoins soulagée qu'il pense que Woods se comportait bizarrement parce qu'il était possessif. Je n'aurais peut-être pas dû, mais je me sentais tout émoustillée.

— J'imagine que, le moment venu, je prendrai la route en solo, conclut Tripp.

Je n'étais pas encore sûre.

— Ça dépend de quand tu pars et si Woods veut quelque chose de sérieux avec moi. Si c'est juste une passade, je filerai assez vite, moi aussi.

Cette nuit-là, je me réveillai de nouveau en hurlant dans les bras de Tripp. Les crises foutaient en l'air mon sommeil et le sien. Je ne lui en voudrais pas de lever le camp rapidement pour pouvoir dormir tranquille. Mes yeux étaient gonflés d'avoir tant pleuré. Parfois les cris se mélangeaient aux sanglots. C'est ce qui s'était passé la nuit dernière et, ce matin, j'avais passé une heure dans la salle de bains à camoufler mes traits bouffis sous le maquillage. Je ne suis pas sûre que ça change quoi que ce soit.

— Poulette, les clientes de la huit m'ont demandé de les servir, sinon j'aurais pris la six à ta place, m'expliqua Jimmy en entrant dans la cuisine, les yeux écarquillés.

— Qu'est-ce qui se passe à la six ? demandai-je en nouant mon tablier.

— Je ne sais pas si tu es au courant, mais Woods a cassé avec l'héritière coincée des Greystone. À mon avis, papa est furax. Bref, l'héritière, maman cul pincé et Mme Kerrington sont assises à la six. Cette petite clique ne me dit rien qui vaille.

Oh non. Je ne voulais pas me farcir ces trois-là, mais je n'avais pas le choix. Au service du petit déjeuner, il n'y avait que Jimmy et moi. Le renfort allait arriver pour le déjeuner.

— Je t'ai fait flipper. Je suis désolé. Ça va aller. C'est pas toi qui les as mises en rogne, c'est Woods. Tu leur sers leurs plats et tout va bien se passer.

Il avait raison. Elles ne me connaissaient même pas. En plus, je ne savais pas vraiment où j'en étais avec Woods, vu les événements de la veille.

— Je vais m'en sortir, le rassurai-je en emportant mon plateau de verres d'eau vers la table quatre.

Une fois la quatre servie et les commandes prises, je me dirigeai vers la six. Les trois femmes semblaient en grande conversation. Je fus tentée de leur laisser un laps de temps supplémentaire avant de les interrompre, mais autant éviter de les énerver davantage et de jeter de l'huile sur le feu.

— Bonjour, lançai-je d'une voix ressemblant à un couinement.

Mme Kerrington me jeta un regard excédé. Je ne l'avais jamais rencontrée, mais je reconnus ces yeux d'un marron sombre. On ne pouvait pas se tromper : c'était bien la mère de Woods.

— Une eau pétillante.

— Une Évian avec un verre de glaçons, enchaîna Angelina.

— La même chose, m'informa la troisième dame, qui devait être sa mère, sans prendre la peine de me regarder.

Je fonçai dans la cuisine et pris une profonde inspiration. C'étaient des clientes comme les autres. Inutile de paniquer. Je préparai leurs boissons et les leur apportai.

— Il a besoin de temps. Il n'a jamais apprécié qu'on lui dicte sa conduite. Ce n'est pas toi, ma chérie. C'est un homme, et il a le sang chaud comme pas deux. Il a envie de faire les quatre cents coups, expliquait la mère de Woods en tapotant la main d'Angelina.

— Je ne crois pas que ce soit le problème. Il ne m'aime pas. Il dit qu'on serait malheureux ensemble. Il a peut-être raison. De toute évidence, on ne veut pas la même chose.

— Oui, eh bien, poursuivit Mme Kerrington avec un soupir, son père est terriblement déçu. Nous espérions qu'il pense à autre chose qu'à lui-même, pour une fois. Mais c'est un garçon gâté. Il n'en a toujours fait qu'à sa tête. C'est ma faute, bien évidemment. J'aurais dû lui dire non plus souvent.

Je déposai les verres d'eau sur la table en essayant de me faire aussi discrète que possible.

— Apportez-nous un plateau de fruits et assurez-vous qu'il contienne du kiwi.

Je hochai la tête avant de repartir. Je voulais écouter davantage, mais il valait sans doute mieux éviter. Je voulais les prendre à parti. Woods n'était pas égoïste. Ce n'était pas un gosse qui faisait un caprice. C'était un adulte qui en avait assez d'être manipulé. Et pour qui se prenait Angelina ? « De toute évidence, on ne veut pas la même chose. » Avec ses grands airs. Quelle connasse.

Je claquai la porte derrière moi et poussai un grognement excédé.

— Ouh là là ma puce. Tu m'as l'air prête à en découdre, observa Jimmy en disposant une commande sur son plateau.

— La mère de Woods est exaspérante. Et cette... cette espèce de... La vache, ce que je suis contente qu'il n'épouse pas cette femme. Elle est tellement... j'ai envie de la baffer.

Jimmy se mit à ricaner. Tout à coup, la porte derrière moi se referma et il ouvrit les yeux grands comme des soucoupes. J'eus peur de me retourner.

— Je dois reconnaître que je partage ton avis, commenta Woods d'une voix amusée et sexy.

Je me retournai et l'embrassai du regard. Ses cheveux noirs étaient en désordre et son jean épousait parfaitement ses hanches. Plus que jamais, son élégante chemise blanche faisait ressortir son teint mat.

— Je suis désolée, balbutiai-je tandis que mon cœur battait la chamade.

Je regardai sa main en repensant à la sensation qu'elle m'avait procurée sous mon short la veille.

— Ne sois pas désolée. Je suis du même avis que toi.

Je levai les yeux pour croiser son regard. Il trouvait amusant que je n'apprécie pas sa mère et son ex-fiancée. Ça se lisait dans ses yeux.

— Bonjour, enchaîna-t-il en jetant un œil derrière moi au personnel de cuisine absorbé par notre conversation.

— Bonjour, répondis-je.

— Je vais leur apporter les fruits.

— Ça ne peut pas être pour elles, je n'ai pas encore passé la commande, objectai-je tandis qu'il s'éloignait avec les fruits, dont le kiwi.

— C'est bien pour elles. Ma mère commande rarement autre chose pour son petit déjeuner. Tout le monde le sait en cuisine.

Sur ce, il franchit la porte.

— La commande est prête pour la quatre, cria Harold depuis la friteuse.

J'évitai de regarder la table à laquelle se trouvaient Woods et Angelina. Je l'entendais parler et, du coin de l'œil, je vis qu'il s'était assis parmi elles. Mon estomac se noua.

Je parvins à ne pas rater le service de la quatre. Il me fallut ensuite toute la volonté du monde pour ne pas foncer me cacher en cuisine afin de m'épargner tout ça. Mais même si Woods leur avait apporté leurs plats, je restais la serveuse. Je devais m'assurer qu'elles n'avaient besoin de rien. Surtout sachant que Woods s'était attablé avec elles.

— Désirez-vous autre chose? demandai-je directement à sa mère.

Il s'était assis à côté d'Angelina mais j'étais incapable de regarder dans leur direction.

— Encore de l'eau pétillante. Mais cette fois mettez moins de glaçons et ajoutez quelques framboises, exigea-t-elle d'une voix agacée provoquée soit par la présence de Woods soit par la qualité de mon service.

Je hochai la tête et retournai en cuisine.

Jimmy m'attendait, les mains sur les hanches.

— C'est quoi ce bordel?

— Quoi donc? demandai-je, perplexe.

Jimmy agita la main vers la porte puis de nouveau vers moi.

— C'est quoi ce cinéma entre toi et notre patron? Ne me dis pas que c'est à cause de toi que Woods se la joue rebelle avec ses parents. Ça va mal finir, siffla-t-il en prenant son plateau.

— Je ne crois pas, répondis-je en secouant la tête d'un air incertain.

— Tu ne crois pas? répéta-t-il. Sans rire, ma poulette, si c'était à cause de toi, tu le saurais. Je ne sais pas trop quoi penser de tout ça, mais je te mets en garde : c'est un Kerrington. Fais gaffe.

Jimmy sortit de la cuisine d'un pas nonchalant. À l'entendre, être un Kerrington était un crime. Je n'avais jamais rien perçu de mauvais chez Woods.

Je préparai l'eau gazeuse avec moins de glaçons et des framboises fraîches que j'apportai à la mère de Woods en évitant soigneusement de le regarder.

À mon approche, la discussion s'interrompit, laissant place à un silence pesant. Je ne demandai pas mon reste. Je m'éclipsai prendre la commande de la une, qui venait de s'installer, et me concentrai sur les autres clients.

Lorsque je retournai en salle dix minutes plus tard, Woods raccompagnait les trois femmes. Les voir tous les quatre ensemble me contrariait. C'est ça que Jimmy voulait dire ? Qu'il finirait par retourner avec elle ?

Je réussis à boucler mon service et, une fois mon tablier dans le panier à linge, j'avais hâte de m'en aller.

— Della, M. Kerrington a demandé que tu passes le voir dans son bureau avant de partir, m'informa Juan depuis l'arrière-cuisine.

Oh merde.

— Merci, lançai-je en m'acheminant vers son bureau.

Peut-être n'avais-je pas servi sa mère correctement ? Je détestais ce sentiment. J'avais envie d'être à la hauteur et je n'étais jamais sûre d'y arriver vraiment. Je détestais l'idée qu'il soit reparti avec elles. Pour aller où ? L'avait-il embrassée ? Lui avait-il demandé pardon ? Était-il de nouveau fiancé ? Allait-il m'annoncer que sa décision prise hier était une erreur ? Peut-être que ma réaction sous le porche et l'impossibilité de me contrôler avaient fini par le rebuter.

Je frappai à la porte et attendis. Je priai pour qu'il ne soit pas là et que je puisse filer... La porte s'ouvrit et Woods me tira à l'intérieur avant de la verrouiller derrière lui d'un claquement sec.

En un clin d'œil, il était sur moi. Ses mains s'agrippèrent à mes hanches et il mordilla goulument ma lèvre inférieure. Sa langue envahit ma bouche sans aucune douceur.

Il souleva ma jambe et l'enveloppa autour de sa taille avant de prendre mes fesses dans le creux de ses mains tout en continuant à assaillir ma bouche de ses délicieux mouvements de langue.

J'enroulai mes bras autour de son cou. Je ne m'attendais pas du tout à cet accueil, mais peu importe, je me perdis dans le plaisir.

— Tu as mis un pantalon large hier à la place de ton short? demanda-t-il tandis que sa bouche caressait le creux de mon cou.

— Oui, soufflai-je.

— Tripp n'a rien vu de ta tache humide?

Ses questions osées me firent gémir et je me lovai contre lui.

— Non, j'ai porté ton sweater et un jogging le reste de la journée.

— Bien, grogna-t-il avant de me porter jusqu'à son bureau. Je veux y goûter. Maintenant.

Avant que j'aie pu comprendre de quoi il parlait, il remonta ma jupe, saisit ma culotte qu'il tira tellement fort que le bruit du tissu déchiré me fit sursauter. Il écarta le sous-vêtement et le laissa tomber par terre. Puis il agrippa mes pieds, plia mes genoux et posa mes talons au bord du bureau, me laissant totalement ouverte. Je haletai d'impatience tandis que, à genoux, il entreprit de mordiller le haut de mes cuisses. Je ne pus m'empêcher de me tortiller en retenant ma respiration entre mes dents serrées.

Sa langue glissa enfin sur mon entrejambe humide. J'aurais décollé du bureau s'il ne m'avait pas tenu fermement les hanches. Il commença à aller et venir avec sa langue et je me contractai avidement à chaque pénétration pour le retenir un peu plus longtemps.

— J'avais oublié ton goût merveilleux, murmura-t-il contre mon clitoris.

— Oh Woods, oh oui !

Mes hanches se mirent à trembler de manière incontrôlable. Je ne maîtrisais plus rien. Sa bouche caressa l'intérieur de ma cuisse et je reposai la tête en arrière de frustration. Les pulsations entre mes jambes étaient presque douloureuses.

— Woods, je t'en prie, implorai-je.

Il releva la tête et l'expression de son regard me révéla qu'il était aussi excité que moi. J'adorais l'idée qu'il aime autant me goûter.

— Tu vas jouir dans ma bouche ? demanda-t-il en passant sa langue sur ma fente.

— J'en ai besoin, haletai-je.

— Cette jolie petite chatte a besoin de jouir ? poursuivit-il en me léchant longuement tandis que je gémissais de plaisir. Je ne peux pas lui dire non, c'est trop bon.

Il posa une main sur ma bouche avant de sucer mon clitoris et de plonger deux doigts dans mon orifice trempé. Ses doigts me pénétrèrent d'avant en arrière tandis que sa langue me chatouillait. Mon cri fut étouffé par sa main. Il ne la retira que lorsque mon corps tremblant ne supporta plus l'attention portée à ma chair fine. Je le repoussai juste assez pour l'attirer vers moi et enrouler mes jambes autour de lui. Cette fois-ci, j'avais réussi à ne pas lui tirer les cheveux mais j'avais hurlé et léché sa main. Étais-je allée trop loin ?

— Je voulais que tout tourne autour de toi. Je voulais te prouver que tu étais spéciale, mais putain ce que j'ai envie d'être en toi. Je crois que je vais exploser, murmura Woods contre mon épaule.

Quoi ? C'était un traitement de faveur ? C'est pour cela qu'il m'avait laissée en plan la veille ? Je préférais ne pas trop y penser. J'en voulais plus. Je commençai doucement à redescendre. Je déboutonnai son jean que je fis glisser en même temps que son caleçon.

— Je t'en prie, maintenant, je te veux en moi, suppliai-je, désireuse de cette proximité entre nous.

Il poussa un grognement et extirpa un préservatif de sa poche. Son regard croisa le mien et il sourit.

— Je l'ai mis là avant de te convoquer dans mon bureau. Je n'avais pas l'intention d'en avoir besoin, mais je n'étais pas sûr de pouvoir m'en empêcher.

J'étais tellement soulagée qu'il se protège que je ne relevai pas.

Il m'écarta les jambes et me contempla. J'étais frémissante.

— C'est tellement beau, murmura-t-il avant de me caresser du bout des doigts.

Je l'observai, totalement fascinée, jusqu'à ce qu'il empoigne son sexe épais et appuie le gland contre ma chair tendre. Sa respiration se mua en sifflement tandis qu'il me pénétrait lentement.

— Tu es tellement étroite, susurra-t-il.

Je soulevai mes hanches pour l'accueillir plus profondément et il glissa en moi jusqu'à me remplir entièrement. Je commençai à aller et venir sous lui. Il était tellement doux et délicat. Je n'avais pas l'habitude de ça avec lui.

Je décidai de l'encourager. Il avait décrété que je désirais ça, mais je ne savais pas trop pourquoi. Je n'avais jamais été calme ou mesurée dans mes réactions. Je retirai ma chemise et dégrafai mon soutien-gorge tandis qu'il se figeait et me regardait me dénuder. Je connaissais son point faible. Ses yeux s'arrondirent d'excitation. Je posai mes mains sur mes seins et commençai à faire rouler mes tétons entre mes doigts tandis qu'il restait immobile à l'intérieur de moi. Je sentais son pénis se tendre, ce qui me donna encore plus de pouvoir.

— Ça te plaît ? demandai-je en arquant les reins et en tirant fort sur mes tétons.

— Oh oui, putain, j'adore ça, répliqua-t-il avant que sa bouche se referme sur mon sein et que ses hanches se mettent en branle.

J'écartai davantage les jambes et me laissai retomber sur les mains, la poitrine tendue vers lui.

— Plus fort, Woods, j'en ai besoin, plus fort.

Dans son regard, une lueur sauvage remplaça le plaisir contrôlé. Ses mains agrippèrent mes hanches et il se mit à accélérer le mouvement, les yeux rivés sur chaque tressautement de mes seins.

— C'est assez fort comme ça ? demanda-t-il dans un murmure étranglé.

— Plus fort, répliquai-je.

Il se retira, me souleva et me retourna.

— Accroche-toi au bureau, ordonna-t-il tandis qu'il me tirait les hanches en arrière et me remplissait de nouveau d'un violent coup. C'est assez fort pour toi, ma chérie ?

Il me chevaucha par derrière. Je m'agrippai au bureau et rejetai ma tête vers le haut. J'approchai d'un nouvel orgasme, qui promettait d'être encore plus intense. Le sentir à l'intérieur de moi décuplait mon plaisir.

Une claque sonore me surprit, suivie d'une douleur cinglante, puis sa main caressa la peau qu'il venait de fesser. Oh. Ça m'avait plu.

— Ce cul est tellement beau avec la marque de ma main, grogna-t-il.

Je me pressai contre lui et il fit de même sur l'autre fesse. Je gémis et contractai les parois de mon vagin pour le serrer à l'intérieur.

— Putain, bébé ! s'écria-t-il.

— Je vais jouir, hurlai-je tandis que l'euphorie fusait dans mes veines.

La main de Woods se referma sur mes cris tandis qu'il tremblait derrière moi en scandant mon nom sans relâche. Son corps tressauta plusieurs fois à l'intérieur du mien.

Nous restâmes immobiles quelques instants, puis nos corps se relâchèrent, nous laissant atterrir. Il libéra ma bouche et je sentis un filet de baisers le long de mon dos.

— Délicieux. C'est toujours démentiel avec toi, Della.

Ma poitrine se gonfla d'émotion. C'était tout aussi bon pour moi, mais, vu que je n'avais couché qu'avec trois types en tout, j'avais peu de matière à comparaison.

Il se retira lentement, provoquant chez moi un ultime soubresaut. Puis ses lèvres se posèrent sur mes fesses, embrassant la peau qu'il avait frappée quelques instants plus tôt. S'il continuait à être aussi doux, je n'allais plus jamais le laisser partir.

— Si parfaite, murmura-t-il contre ma peau brûlante.

Je jetai un œil par-dessus mon épaule et souris en le découvrant à genoux en train d'embrasser mon cul.

— Ça m'a plu. Tu n'es pas obligé de le couvrir de baisers.

Il me fit un large sourire et lécha vivement ma peau.

— J'aime bien voir l'empreinte de ma main. Tu portes ma marque.

Je gloussai de rire et il se releva en me caressant tout le corps. Ses deux mains s'arrêtèrent sur mes seins qu'il soupesa.

— Ceux-là aussi, il faut que je les marque. Je ne sais pas encore comment faire, me murmura-t-il à l'oreille. (J'adorais ses caresses et laissai ma tête retomber sur son épaule.) Je ne peux pas les fesser. Peut-être les mordre, dit-il d'un murmure rauque qui me fit trembler. Ça te plaît. Tu veux que je les morde ? Tu es tellement sexy, Della. Tu me fais perdre la tête. Là maintenant, j'ai simplement envie de me glisser en toi et d'y rester. Tu vas me tuer, bébé.

Je souris en mon for intérieur et me retournai dans ses bras.

— Si tu continues à parler comme ça, je ne vais pas tarder à te supplier de recommencer.

— Déjà? (Je hochai la tête.) Je n'ai qu'un seul préservatif, ici, dit-il en lâchant un juron. C'était mon préservatif de secours.

Un coup à la porte nous empêcha de continuer.

— Woods?

Tripp se tenait de l'autre côté de la porte.

Woods attrapa mon soutien-gorge et entreprit de me rhabiller. Je voulus l'aider mais il était plus rapide. Une fois ma chemise enfilée, il rajusta ma jupe et passa son jean.

— Ouais, répondit-il en se passant une main dans les cheveux et en me gratifiant d'un clin d'œil.

Il ouvrit la porte. Tripp pénétra dans le bureau. Ses yeux tombèrent sur moi puis se posèrent sur Woods.

— J'allais partir, annonçai-je avec un sourire forcé.

Je lus dans le regard de Tripp qu'il savait exactement ce qui venait de se passer.

— Je t'appelle plus tard, enchaîna Woods.

Je le frôlai en passant et hochai la tête, les yeux rivés sur la sortie.

Woods

En regardant Della s'éclipser, je me demandai si j'avais bien fait de laisser Tripp nous voir ainsi. Elle avait les cheveux tout ébouriffés, les lèvres enflées et elle transpirait l'attitude de la femelle comblée. Je voulais montrer à Tripp qu'elle m'appartenait. Qu'elle voulait m'appartenir. Je n'aurais peut-être pas dû. Je n'avais pas réfléchi à la réaction de Della.

— J'imagine que ça dissipe la confusion d'hier, observa Tripp en refermant la porte.

Comment ça ?

— Quelle confusion ?

Tripp eut un haussement d'épaules et se laissa tomber dans un des fauteuils en cuir de l'autre côté de mon bureau. Puis il arqua un sourcil.

— Rassure-moi, vous n'avez rien fait sur cette chaise ?

Je levai les yeux au ciel et m'assis au bord de mon bureau.

— Tu veux dire quoi quand tu parles de confusion ?

— Je parlais d'hier quand tu l'as laissée en plan, totalement paumée. Et, malgré ça, elle est restée docilement assise dans son jogging et ton putain de sweater toute la journée après avoir dormi avec.

Elle avait dormi avec mon pull ? J'esquissai un sourire lorsqu'un détail me monta au cerveau.

— Je peux savoir comment tu sais dans quoi elle dort ?
répliquai-je d'un air renfrogné.

Tripp inclina la tête sur le côté et me dévisagea. Il n'essaya même pas de se défendre.

— Est-ce que tu la connais vraiment ? Ou tu te contentes de la baiser ? Parce qu'elle s'est déjà fait entuber dans les grandes largeurs une fois depuis que je la connais et je pense que tu risques de l'anéantir.

Le sang bouillonnait dans mes veines. J'étais à deux doigts de le cogner. Et qui l'avait mal traitée ?

— Fais gaffe à ce que tu dis. Je me contrefous de savoir qui tu es ou qui je suis censé être. Et ça veut dire quoi, « elle s'est déjà fait entuber » ?

Soudain, le souvenir de Jace dans mon bureau me racontant qu'elle avait eu une histoire avec son patron me revint à l'esprit. Il avait dit quoi, déjà ?

Tripp leva les deux mains.

— Calme-toi et écoute-moi. Merde, depuis quand tu es colérique comme ça ?

— Dis-moi ce qui s'est passé avec son ancien boss. Celui à Dallas.

— Ce salaud s'est foutu de sa gueule, commença Tripp en se renfrognant. Il est marié et sa femme est enceinte. Della l'ignorait parce qu'il ne porte pas d'alliance et il ne va jamais au bar. Elle était nouvelle et lui se pointait tard le soir et flirtait un peu. Puis il a commencé à passer la chercher de plus en plus souvent. Le bar est grand. Personne ne pose de questions. Je l'avais déjà vu fricoter avec des serveuses mais je n'étais pas sûr que ce soit vraiment le cas avec Della. Jusqu'à ce que sa femme débarque. Della était plus furieuse que triste. C'est pour ça que je l'ai envoyée ici. Il n'avait pas le pouvoir de l'anéantir. Pas comme toi.

Son ancien patron était marié. Pas étonnant qu'elle se soit tenue soigneusement à l'écart quand j'étais fiancé.

Elle avait peur que l'histoire ne se répète. J'étais une ordure.

— Je ne lui ferai pas de mal, promis-je.

— Il n'en faudrait pas beaucoup.

Sa manie de remettre ça sur le tapis commençait à me taper sur les nerfs.

— Qu'est-ce que tu veux dire ?

L'avait-il vue pendant une de ses crises ?

— La nuit, elle hurle. Toutes les nuits elle crie comme si quelqu'un la tabassait. C'est carrément flippant. En plus, elle ne se réveille pas. Rien de ce que je fais ne parvient à la calmer. Parfois, elle se rallonge et reste endormie. Et moi, je l'observe avec horreur. J'essaie de la prendre dans mes bras et de l'apaiser lorsqu'elle se réveille, mais ça ne sert jamais à rien. Elle tremble, ça me fend le cœur. Je n'arrive pas à arranger les choses. Tout ce que je sais, c'est qu'elle a un sacré merdier à gérer. Je ne sais pas ce que c'est ni d'où ça vient, mais ça la hante. Si tu es juste là pour te l'envoyer, je serai ravi de me battre avec toi. Parce que c'est pas le genre de nana qu'on peut mener en bateau. Elle n'est pas assez forte pour ça.

J'avais envie de vomir. Mon estomac était tellement serré que je n'arrivais plus à bouger. Elle hurlait la nuit. La terreur glacée que j'avais vue à la soirée était déjà bien flippante. Elle s'était désespérément agrippée à moi. J'avais eu peur qu'elle n'affronte ça toute seule. Je savais qu'elle était en proie à des cauchemars. Ma poitrine et mes yeux me brûlaient. C'était horrible. Je détestais la savoir tourmentée. Je voulais y remédier et tout arranger pour elle.

Je tournai les talons et m'approchai de la porte. J'allais la retrouver. Il fallait qu'on parle. La prochaine fois qu'elle se réveillerait en hurlant, je serais à ses côtés. Tripp n'arrivait peut-être pas à la réconforter, mais moi j'y parviendrais. Je ferais fuir ses cauchemars. C'était la seule solution. Je ne pouvais pas vivre en sachant qu'elle souffrait autant.

— Où vas-tu ? interrogea Tripp.

— La chercher.

— Tu es sûr que c'est la bonne façon de t'y prendre ? Décidément tu ne la connais vraiment pas : si tu lui fais peur, elle partira. Prends un moment pour réfléchir. Tu veux l'aider ? Très bien. J'en suis ravi. Elle a besoin de quelqu'un. Elle ne souhaite pas que ce soit moi et, honnêtement, je ne sais pas si je serais capable de gérer la situation. J'ai mes propres démons. C'est toi qu'elle veut. Elle a serré ton sweater tellement fort la nuit dernière quand elle s'est réveillée, le visage enfoui dedans pour trouver ton odeur, que ça m'a inquiété. Je ne t'imaginais pas l'aimer assez pour faire face à toute cette folie. Elle est sacrément sexy. Je pensais que c'était ça qui t'attirait. Mais si tu tiens suffisamment à elle pour rester sachant qu'elle a des soucis, alors très bien. Me voilà soulagé.

— Je ferai ce qu'elle attend de moi. Je ne peux pas vivre sans elle ; j'ai essayé. Je suis mordu. Et à deux doigts de perdre la tête parce que je ne sais pas comment l'aider. J'ai besoin de la retrouver et de la serrer dans mes bras le reste de la journée, c'est tout. J'ai besoin de la savoir en sécurité.

— Je ne sais pas si elle est prête à ce que tu saches tout ça, intervint Tripp. Elle a peur que tu n'aies plus envie d'elle si tu découvres ses problèmes. Qui sont des problèmes émotionnels de taille. Il faut y aller mollo. Ne va pas lui balancer tout ce que tu sais en t'attendant qu'elle le prenne bien. Elle m'en voudra à mort de te l'avoir dit et sera terrifiée à l'idée que tu t'en ailles. Et elle prendra les devants. Elle prendra ses jambes à son cou. C'est comme ça qu'elle fonctionne.

Je détestais cette situation. Et pourtant, il avait raison.

— Qu'est-ce que je dois faire ? demandai-je.

Il fallait que quelqu'un me montre le chemin. Je ne pouvais pas la perdre.

— Quand elle ira se coucher ce soir, je t'appellerai. Viens dormir sur le canapé. Quand elle commencera à hurler, tu seras sur place. Elle verra que tu n'as pas peur et que tu restes à ses côtés.

Très bien. C'était faisable. Je pouvais attendre jusqu'à ce soir. Mais j'allais quand même la retrouver. Ne serait-ce que pour la serrer dans mes bras. Sans lui dire pourquoi. J'avais besoin de m'assurer qu'elle allait bien.

Tripp ouvrit la porte et me laissa entrer. J'attendais sur le parking lorsqu'il m'avait appelé deux minutes plus tôt pour m'informer qu'elle s'était endormie. Je ne savais pas combien de temps les cris mettaient à venir et je ne voulais pas qu'elle se retrouve dans les bras de Tripp cette fois-ci. Plus jamais.

— Tu étais déjà ici ?

— Ouais.

— C'est pas toi qui l'as ramenée du boulot il y a deux heures ?

— Si.

— T'es jamais reparti ? dit-il en riant.

— Non.

Tripp avait l'air amusé.

— Il y a un coussin et une couverture sur le canapé. Je vais me coucher. Il est tard et j'ai besoin de sommeil. La nuit dernière a été dure.

Inutile de lui demander pourquoi. Ça me rendait fou de me dire que je n'avais pas été là. Qu'elle avait souffert sans que je sois au courant.

— Merci.

— Pas la peine de me remercier. Tu n'as encore rien vu. Tu vas peut-être me détester après coup.

Tripp ne savait pas de quoi il parlait. Je l'avais tenue dans mes bras quand elle avait totalement décroché à la soirée. Son regard vide d'expression m'avait fait peur, mais je n'avais pas du tout eu envie de fuir. Plutôt de la protéger. La situation faisait plus que jamais ressortir cet instinct chez moi.

Je m'allongeai dans le canapé, les yeux rivés au plafond. J'allais avoir du mal à m'endormir, ne sachant pas à quel moment sa souffrance se manifesterait. Rien que d'y penser, ma poitrine se serra et je dus respirer profondément pour atténuer la pression.

Que lui était-il arrivé ? Je remontai au jour où je l'avais vue pour la première fois. Elle était tellement sexy, et à la fois adorable, à essayer de faire le plein d'essence. Je m'étais dit qu'elle offrirait une agréable diversion. Je ne m'étais pas préparé à son goût, à son odeur. Nom de Dieu, elle sentait tellement bon. Je m'étais un peu emballé cette nuit-là. Chaque fois que je l'avais amenée à l'orgasme, j'avais eu envie de remettre le couvert. Je me répétais sans cesse que c'était l'histoire d'une nuit et qu'elle allait partir. Alors j'en avais profité. Je ne me lassais pas d'elle. Quand elle avait fini par s'endormir d'épuisement, je m'étais forcé à partir.

Je fermai les yeux et la douleur me transperça. S'était-elle réveillée en hurlant cette nuit-là ? Toute seule ? Je l'avais sautée puis laissée en plan avec ses tourments ? Je ne pouvais pas rester sur ce canapé. Je me redressai et enfouis la tête entre mes mains. Depuis le début, j'enchaînais les erreurs. J'analysais tout de travers. Elle n'avait jamais eu l'air faible ou vulnérable jusqu'à la soirée, lorsque sa crise de panique l'avait totalement renfermée sur elle-même. Un aperçu de ce qu'elle gardait si bien caché.

Je ne pouvais pas rester ici un instant de plus. Je voulais être près d'elle au premier hurlement. Je m'approchai de sa chambre et ouvris lentement la porte.

J'attendis que mes yeux se soient habitués à l'obscurité avant de pénétrer dans la pièce et de refermer la porte derrière moi.

Elle dormait en boule dans le lit. Comme si elle cherchait à se protéger elle-même. Mon sweater l'engloutissait, mais elle le serrait fort contre elle, exactement comme l'avait décrit Tripp. La voir ainsi recroquevillée dans mon pull fit bondir mon cœur d'homme des cavernes. Elle était à moi. Elle le savait. Je voulais me glisser sous les draps et la prendre dans mes bras. Si elle voulait de moi au point d'enfouir son visage dans mes vêtements, je pourrais lui venir en aide.

J'étais ici pour une bonne raison. Impossible de tenir en place. Dans un coin, les bras croisés sur la poitrine, je la regardai dormir. Elle était tellement paisible. J'avais du mal à croire qu'elle faisait des cauchemars.

Elle laissa échapper un petit gémissement et je me redressai. Sans bruit, j'étudiai les traits de son visage. Elle se mit à tordre le sweater entre ses mains, puis un son étrange sortit de sa gorge. En un bond, je traversai la pièce. Je m'assis au bord du lit au moment où un cri à glacer le sang s'échappait de ses lèvres tandis que son corps tressautait dans tous les sens. Je posai les mains sur elle ; elle se débattit. Les yeux toujours fermés, elle hurla et me repoussa avec une force impressionnante. Chacun de ses cris me déchirait la poitrine. Je détestais la savoir plongée dans une terreur inconnue dont je ne pouvais pas la sauver. Je la serrai fort contre ma poitrine et entrepris de lui chuchoter des paroles réconfortantes à l'oreille. Je lui promis de rester auprès d'elle et la suppliai de revenir vers moi. Je lui dis qu'elle était belle, que j'allais prendre soin d'elle, qu'il fallait qu'elle ouvre les yeux et me regarde. D'autres mots s'épanchèrent tandis que mes yeux brûlaient et que mon cœur battait à tout rompre. Elle continuait à hurler, mais elle avait cessé de me repousser et ses mains fendaient l'air pour se rapprocher de moi. Elle enfouit sa tête contre mon épaule et inspira profondément puis se mit à pleurer de soulagement. Ses bras s'agrippèrent à mon cou tandis qu'elle grimpait sur mes genoux. Ses hurlements se transformèrent en petits cris, puis cessèrent complètement.

Je sentis l'humidité de mes larmes sur mes joues. Je les essuyai vite avant qu'elle s'en aperçoive et lui caressai doucement la tête en lui répétant que j'étais là, que je la tenais et qu'elle était en sécurité.

— Woods ? murmura-t-elle dans un sanglot tout en me serrant aussi fort que je la tenais contre moi.

— Oui, bébé, je suis là. Tout va bien.

Son corps se détendit et elle se laissa aller contre moi avec un profond soupir.

— Je crois que mon cauchemar est terminé, bredouilla-t-elle en posant la tête contre ma poitrine.

Je ne bougeai pas d'un pouce, attendant qu'elle m'en dise plus, mais elle garda le silence. Elle resta dans mes bras et, au bout de quelques secondes, sa respiration profonde et régulière m'indiqua qu'elle dormait à poings fermés.

Je la déposai délicatement dans le lit. Elle resta agrippée à mon cou. Je la lâchai le temps de remonter la couverture, puis l'enveloppai dans mes bras et fermai les yeux. Tout allait bien. Elle était en sécurité.

Della

La chaleur et le parfum divin du sweater de Woods étaient plus forts que lorsque je m'étais assoupie. Je me pelotonnais tout contre lorsque je sentis un corps ferme et des bras qui m'enveloppaient. Je pris une profonde inspiration et me rendis compte que ce n'était pas son pull que je humais. J'ouvris les yeux et découvris la barbe naissante sur le menton de Woods. Il était au lit avec moi. Entièrement vêtu. Tout comme je l'étais. Je repensai à la nuit précédente, persuadée de m'être glissée dans les draps toute seule.

— Bonjour, lança-t-il les yeux fermés, de sa voix sexy qui me fit sursauter.

— Hum… bonjour.

Un sourire planait sur ses lèvres. Il ouvrit les yeux et recula la tête pour me regarder.

— Tu es toute douce le matin, murmura-t-il en glissant une main autour de ma taille.

Mais d'où sortait-il ?

— Euh, merci… Qu'est-ce que tu fais ici ?

Dans son regard, l'humour céda la place à autre chose. Je me demandai si je l'avais froissé. J'avais oublié quelque chose ? J'étais de nouveau en train de flancher ? Oh non…

— Je suis venu la nuit dernière une fois que tu t'es endormie.

Une vague de soulagement me submergea. Je ne m'étais pas évanouie et je n'avais rien oublié. Tout allait bien. Mais pourquoi était-il revenu?

— Pourquoi?

— Parce que je voulais être ici quand tu ferais un mauvais rêve. C'est à moi de te serrer dans mes bras, pas à Tripp.

Je commençai à comprendre et m'éloignai lentement de lui. Il resserra son étreinte.

— Attends, laisse-moi terminer.

Je m'immobilisai dans ses bras. Mon corps s'était raidi. Il était venu pour être témoin d'un de mes accès de folie. Que s'était-il passé? Je ne m'étais pas réveillée. Est-ce qu'il allait me quitter? Avait-il vu toute l'étendue du désastre? Satané Tripp. Il lui avait raconté. Il nous avait vus ensemble la veille et l'avait mis en garde contre mon état.

— Tripp s'inquiétait de mes intentions envers toi. Il est passé à mon bureau hier pour m'en parler et nous a surpris ensemble. Il voulait savoir si j'étais sérieux en ce qui te concerne. Il était venu me prévenir. Je l'ai convaincu que j'étais plus sérieux à ton sujet que je ne l'avais jamais été pour aucune autre fille et il m'a raconté que tu faisais des cauchemars. Je voulais être ici. Je ne supportais pas l'idée qu'il te tienne dans ses bras. Que tu traverses ça sans que je sois auprès de toi. Ne m'en veux pas, mon ange. Je t'en prie, je ne veux plus jamais que tu t'endormes sans que je sois à ton côté. Je ne tolérerai pas que tu affrontes ça toute seule.

Les larmes baignaient mes yeux et je cachai mon visage contre sa poitrine. Ses paroles étaient si douces et sincères. Il était resté auprès de moi. Il m'avait vue dans tous mes états et il ne voulait pas partir. Pourquoi? Ça ne lui faisait pas peur?

— Ne pleure pas. Je ne veux pas te voir pleurer. Je veux te rendre heureuse.

Ses mots enveloppèrent mon cœur et je sus à cet instant que j'étais tombée amoureuse de Woods. C'était peut-être stupide de ma part d'aimer quiconque, mais c'était le cas. Je l'aimais. Mais je ne pouvais pas le lui dire. Il ne savait pas tout à mon sujet et lui confesser mon amour était injuste. Et, pourtant, je l'aimais tellement.

J'essuyai les larmes de mon visage avant de lever les yeux sur lui.

— Pourquoi veux-tu rester auprès de moi ? Tu as bien vu dans quel état j'étais. Pourquoi ça ne te fait pas fuir ?

Woods prit mon visage dans sa main et déposa un baiser sur le bout de mon nez.

— Parce que tu poses ce genre de question. Tu ne comprends pas pourquoi quelqu'un pourrait avoir envie de toi. Tu n'as pas idée du nombre d'Angelina que j'ai connues. Elles exigeaient attention et dévotion. Elles utilisaient leur beauté pour exercer leur contrôle. Mais toi… tu ne sais absolument pas à quel point tu es incroyablement belle et désirable. Tu n'es ni calculatrice ni égoïste. Et tu me donnes envie d'être meilleur.

J'étais sidérée. Cet homme avait le pouvoir de me détruire. Je m'approchai de lui et me mis à califourchon sur ses jambes. J'attrapai le bas de sa chemise que je passai par-dessus sa tête avant de retirer son sweater. Je voulais sentir sa peau contre la mienne.

J'appuyai mes seins nus contre son torse et poussai un gémissement de plaisir. Sa poitrine se baissait et se soulevait vigoureusement et ses mains se refermèrent sur ma taille. Mais il resta immobile. Me laissant faire. Je reculai suffisamment pour que mes tétons effleurent ses pectoraux musclés. Je regardai nos peaux enflammées se toucher.

— Bébé, grogna-t-il tandis que ses mains pressaient mes hanches.

— C'est bon, non ?

J'étais incapable d'arracher mes yeux de nos poitrines.
Je me cambrai et glissai mes tétons contre les siens. L'inspiration rapide qu'il prit entre ses dents me fit sourire.

— C'est incroyable.

Je l'aimais. Je pris le temps d'assimiler cette idée tandis que mes mains caressaient ses larges épaules. Je voulais l'embrasser partout. Je voulais connaître son corps
mieux que le mien.

— Je peux t'embrasser? demandai-je en levant les
yeux sur lui.

— Je t'en prie.

Je déposai un baiser sur son téton droit et ses mains
remontèrent pour empoigner ma tête. Il ne s'attendait pas à cela. Il croyait que j'allais l'embrasser sur la
bouche. Il n'avait pas compris ma requête. Je continuai
à l'embrasser tout en descendant le long de son corps et
léchai chaque ondulation sur son ventre. Arrivée à son
jean, je descendis la fermeture Éclair. Lorsque je tirai son
pantalon vers le bas, Woods souleva les hanches pour
passer les fesses. Je continuai à le faire descendre le long
de ses jambes jusqu'à ce qu'il finisse par terre. Je souris toute seule et entrepris de remonter le long de ses
jambes musclées à grand renfort de baisers, jouissant de
chaque tressaillement de son corps tandis que je léchais
l'intérieur de ses cuisses. Puis j'empoignai l'érection qui
m'attendait.

— Della, souffla Woods d'une voix mal assurée.

Sans relever les yeux sur lui, je le pris dans ma bouche
jusqu'à ce que son gland effleure le fond de ma gorge.

— Nom de Dieu! s'écria-t-il tandis que d'une main
il me tirait légèrement les cheveux, ce qui m'incita plus
que jamais à le rendre fou.

Je passai lentement ma langue sur sa peau sensible.
J'adorais la façon dont tout son corps tremblait à mon

toucher. Je refermai de nouveau les lèvres sur le haut de sa verge et le pris profondément, puis le laissai entièrement ressortir avant de remplir encore une fois ma bouche de sa chair dure et palpitante.

— Della, bébé, viens ici. Je vais jouir.

Je voulais qu'il jouisse. Je voulais partager ça avec lui. Je pris ses testicules dans mes mains et entrepris de les malaxer doucement tout en aspirant vigoureusement son gland avant de le prendre au plus profond, jusqu'à m'étouffer.

— Oh, merde, lâcha Woods dans un râle.

M'entendre suffoquer l'excitait. Je recommençai et sa main se resserra sur mes cheveux tandis qu'il rejetait la tête en arrière.

— Je vais jouir dans ta bouche.

Je le laissai me pénétrer encore plus profondément et le gardai encore plus longtemps.

Dans un râle, il immobilisa ma tête entre ses mains tandis qu'il éjaculait dans ma bouche. Jamais je n'avais laissé un garçon faire ça. Mais j'adorai. J'adorai sentir le tremblement de son corps. Après avoir tout avalé, je passai la langue sur le gland rouge de son sexe alangui. Il m'agrippa et m'éloigna de lui en riant.

— Tu vas me tuer, mais ce sera la mort la plus douce qu'un homme ait jamais connue.

Je me glissai dans ses bras et il m'enveloppa de son étreinte.

Il posa la tête à la naissance de mon cou et poussa un soupir tremblant.

— Ne me quitte pas, Della.

Il ne savait pas à quel point ces mots comptaient pour moi.

Woods

Je n'étais pas en état de travailler aujourd'hui. Mon esprit était monopolisé à trouver le moyen de convaincre Della d'emménager chez moi. Aujourd'hui même. Je ne supportais plus qu'elle vive chez Tripp. Et le souvenir de ma queue enfoncée dans sa gorge au point de l'étouffer me rendait fou. On ne m'avait jamais fait une pipe comme ça. Je n'avais jamais rien connu de tel.

Della n'avait pas eu envie d'en finir vite fait ni de s'inquiéter de la suite. Elle m'avait sucé dans l'abandon le plus total. La première fois qu'elle avait suffoqué, j'avais tenté de l'arrêter, mais elle avait continué et j'avais craqué. En jouissant dans sa bouche, j'avais eu peur de l'avoir poussée trop loin mais elle s'y était mise de plus belle.

Nom de Dieu. Je bandais comme un taureau. Avec ce souvenir, j'allais rester dur le restant de mes jours. Il fallait que je la voie. Elle bossait au déjeuner et j'étais resté planqué dans mon bureau. J'avais peur de perdre le contrôle si quelqu'un lui parlait mal ou lui reluquait les fesses.

Je m'avançais vers mon pick-up lorsque j'aperçus Della à côté de sa voiture en grande conversation avec Bethy, qui sortait elle aussi du travail. J'aimais Jace comme un frère, mais je n'avais aucune confiance en Bethy. Elle

était un peu trop fantasque et je n'étais pas sûr d'apprécier qu'elle traîne avec Della. Je n'aurais pas été étonné
qu'elle essaie de brancher Della avec un mec. Il fallait
que Bethy comprenne que Della était à moi.

Je m'approchai d'elles et tirai Della dans mes bras, qui
sursauta. Elle rejeta la tête en arrière et me sourit.

— Salut, toi. Je ne t'ai pas vu au déjeuner.

Son regard taquin fit aussitôt palpiter ma queue
tendue.

— J'avais du boulot en cours. J'ai tout bouclé.

— Oh, dit-elle sans se dégager de mon étreinte.

Je me collai contre elle pour qu'elle sente mon excitation contre son dos.

— C'est donc elle la raison pour laquelle tu n'es pas
allé au bout de l'affaire Greystone, affirma Bethy.

— Ouais, c'est elle.

Bethy hocha la tête en souriant.

— Bien. Tu l'admets. (Puis, regardant Della :) Je pense
que personne ne t'en voudra d'amener le patron. Il sera
parfaitement distrait à cause de toi et tout se passera
bien. Vous êtes tous les deux invités.

Della hocha la tête et Bethy agita les doigts en
s'éloignant.

— Elle parlait de quoi ? demandai-je.

Della se retourna dans mes bras, de sorte que mon
érection caressait son ventre. Quelle allumeuse !

— Le personnel du club organise un grand feu samedi
soir. À l'occasion de la fin des vacances de printemps,
avant la saison d'été. Tu veux y aller ?

Je connaissais ces feux. Par le passé, j'avais été contraint
de payer la caution de plusieurs anciens employés qui
avaient été accusés d'attentat à la pudeur sur la plage. Il
était hors de question qu'elle y aille sans moi.

— Si tu veux y aller, je t'accompagne.

— Tu crois que c'est un problème de montrer qu'on
sort ensemble ? demanda-t-elle en fronçant les sourcils.
Étant donné que tu es le boss ?

Son décolleté plongeant me déconcentrait.

— Tout ira bien. Comme ça ils sauront que tu es à
moi. (Elle s'approcha de moi, les yeux brillant d'espiè-
glerie.) Della, à moins que tu n'aies envie de te faire
baiser dans le débarras le plus proche, tu devrais arrêter.

— J'aime bien les débarras, répondit-elle en inclinant
la tête sur le côté.

Nom d'un chien. Alors qu'elle pouffait de rire, je la
tirai par la main à l'arrière du hangar à voiturettes et sortis mon trousseau pour ouvrir la réserve. Comme on y
stockait les bières, il y faisait bien frais.

On parlerait plus tard de son déménagement. Ensuite,
on aborderait la question du dépistage et de la contracep-
tion. Je voulais sentir Della sans aucune barrière.

Toutes les affaires de Della tenaient dans deux valises.
Tripp m'avait informé qu'il partait sous environ sept
jours et que Della allait bientôt se retrouver seule, mais
ça ne suffisait pas à me tranquilliser. Plus jamais je ne la
laisserais dormir seule.

Elle avait fini par accepter d'emménager chez moi tout
en me répétant que j'allais le regretter.

Nous avions tous les deux fait un test la veille et les
résultats étaient nickel. Della avait une ordonnance pour
la pilule mais il était recommandé d'attendre sept jours
avant d'avoir des rapports non protégés.

L'idée de pouvoir me glisser en elle sans inquiétude
m'empêchait de me concentrer.

Je m'assis sous le porche en attendant que Della rentre
du travail. Je ne la programmais plus sur les services de
nuit. Je détestais qu'elle soit loin de moi. Je ne gérais pas

mieux le fait de l'observer dans le salon du club. Tout le monde me foutait en rogne.

Le mieux, pour elle comme pour moi, était que je garde mes distances. Il ne fallait surtout pas que mon père découvre l'existence de Della et l'accuse d'avoir mis un terme à mes fiançailles avec Angelina.

Mes pensées furent interrompues par la sonnerie de mon téléphone portable, que je repêchai dans ma poche. Le nom de Jimmy s'affichait à l'écran. Merde. Il bossait ce soir. Il ne m'aurait pas appelé sans raison valable. Je me redressai, prêt à filer au club.

— Allô ?

— Woods, salut, c'est Jimmy. On a un souci. C'est Della.

En entendant son prénom, je fonçai vers la porte.

— Que se passe-t-il ? demandai-je en me glissant derrière le volant du pick-up.

— J'en sais rien. On dirait qu'elle s'est mise à flipper. J'arrive pas à l'expliquer. Elle était en train de travailler et tout allait bien. Puis un groupe d'ados est entré. Drew Morgan et ses potes. Ils participaient à un tournoi de tennis. Je crois que l'un d'eux l'a acculée en allant aux toilettes. J'ai l'impression qu'elle ne réagit plus. Elle est restée dans le coin vers les toilettes des femmes. Impossible de la faire parler. Par moments, elle gémit, mais c'est tout.

Mon cœur battait à tout rompre.

— Reste avec elle. Ne laisse personne l'approcher. J'arrive dans moins de cinq minutes. Tu restes avec elle, Jimmy, tu m'entends, et dis-lui que je suis en route.

Je balançai le téléphone sur le siège et fonçai en direction du club. Elle avait peur. J'allais faire la peau au gamin qui l'avait effrayée. Les pneus crissèrent dans le parking et je laissai tourner le moteur avant de courir jusqu'à l'entrée arrière. J'aperçus le dos de Jimmy qui camouflait Della. Je l'écartai et m'agenouillai devant elle pour la serrer dans mes bras.

— Tout va bien, ma chérie, je suis là. Reviens, l'incitai-je d'une voix douce en la ramenant à l'abri dans la voiture. (Je me retournai pour ouvrir la portière avec le dos et aperçus Jimmy nous observer.) Pas un mot, à personne, ordonnai-je.

Il hocha la tête. Je déposai Della dans le pick-up avant de prendre place sur le siège passager pour appuyer sa tête contre ma poitrine.

— Reviens, bébé. Personne ne va te faire de mal. Je suis là, la rassurai-je en la serrant contre moi. Je n'aurais pas dû te laisser, je suis désolé. Mais je suis là, maintenant. Tout va bien.

Ses grands yeux vides cillèrent lentement puis se ranimèrent, tandis qu'elle se concentrait sur moi. Elle enroula les bras autour de mon cou et serra très fort.

— Je suis désolée. Ça m'a reprise. Je suis vraiment désolée. Je vais m'en aller. C'est promis.

Ses mots confus étaient restés incompréhensibles jusqu'à ce qu'elle annonce son départ.

— Tu n'iras nulle part. Sinon je viendrai te chercher par la peau des fesses. C'est moi qui suis désolé. Je n'étais pas là alors que tu avais besoin de moi. J'aurais dû être auprès de toi. Raconte-moi ce qui s'est passé. Jamais plus je ne te quitterai. Je te le jure.

Elle renifla et appuya son visage contre mon cou.

— Ça se reproduira. Ça arrivera tout le temps. Je ne peux rien y faire. J'ai essayé, mais c'est impossible. Je ne devrais pas travailler ici. C'est un trop bel endroit pour une folle.

— Arrête, la coupai-je en la repoussant pour qu'elle me regarde. Tu n'es pas folle. Tu es magnifique et drôle. Tu es altruiste avec un cœur grand comme ça. Tu travailles dur et tu n'attends rien de personne. Tu n'es pas folle, articulai-je en prenant son visage dans mes mains. Je ne veux plus jamais t'entendre parler de toi comme ça. C'est compris? Tu peux être tout ce que je viens de dire, mais folle, jamais.

Je la serrai de nouveau dans mes bras. Je n'osai pas poursuivre. Mon émotion était trop forte.

— Il y avait un gars. Environ deux ans de moins que moi. (Elle s'interrompit pour prendre une profonde inspiration.) Il disait qu'il voulait m'enfermer et me faire des trucs. Ce... (Elle coupa net et déglutit avec difficulté.) Ce n'est pas que j'ai eu peur. C'est quand il m'a menacée de m'enfermer. Mon... mon angoisse a pris le dessus. J'ai paniqué.

Elle avait peur de l'enfermement. Pourquoi? Quelqu'un lui avait fait subir une telle chose? Je dégageai les mèches de cheveux de son visage et déposai un baiser sur son front.

— Rentrons. Tu m'en diras plus après? Tu m'aideras à comprendre pour que je puisse t'aider? S'il te plaît?

Elle me répondit au bout d'un instant avec un hochement de tête :

— Si tu veux.

Della

Si je l'avais laissé faire, Woods m'aurait portée à l'intérieur. Il me prêtait tant d'attention. Si je n'avais pas été amoureuse de lui, son comportement m'aurait agacée. Mais il s'inquiétait pour moi et méritait de comprendre. Peut-être pas tout, mais il fallait qu'il connaisse une partie de l'histoire.

— Avant, j'avais un grand frère. De lui et de mon père, je n'ai vu que des photos. Je ne me souviens pas d'eux. J'étais trop jeune quand c'est arrivé.

Je n'étais pas sûre de ne pas repartir en vrille en lui racontant tout ça, mais il fallait que j'essaie. Il s'assit à côté de moi, enroula un bras autour de mes épaules et m'attira contre sa poitrine. Comme s'il savait que j'avais besoin de lui pour traverser cette épreuve. Ses doigts se mêlèrent aux miens et il pressa ma main. Tout allait bien se passer. Il était avec moi.

— Un jour, ils sont sortis faire des courses. J'étais encore bébé et ma mère m'allaitait. Elle ne les a pas accompagnés. Ils ne sont jamais rentrés. Ils ont été abattus, avec d'autres personnes, dans une épicerie. Un type en colère avait tué dix personnes avant d'être blessé et de mourir à son tour. Mon père et mon frère étaient à la caisse quand il était entré ; les deux premières victimes.

J'avais entendu ce récit de ma mère quantité de fois lorsqu'elle m'expliquait que le danger venait de l'extérieur. Je le connaissais bien. Je me terrai dans les bras de Woods pour empêcher le flot des souvenirs de me faire perdre le fil.

— Je suis là. Tout va bien, me rassura-t-il.

— Ma grand-mère maternelle souffrait de maladie mentale. Je ne l'ai jamais connue. Elle était dans un établissement spécialisé. On n'avait pas d'autre famille. Mon père avait grandi dans des foyers d'accueil. Aucun de mes parents n'avait de frères et sœurs. Ma grand-mère a perdu le sens des réalités peu après la naissance de ma mère. Quand son père a fichu le camp, ma mère a été élevée par sa grand-mère paternelle, qui est morte lorsqu'elle avait seize ans. Mes parents se sont rencontrés dans un foyer d'accueil à l'âge de dix-sept ans. Sur des photos que j'avais, on voyait une femme en bonne santé et une bonne mère. Mon frère semblait l'adorer. Elle avait l'air heureuse. Mais je ne l'ai jamais connue ainsi. Après la mort de mon père et de mon frère, on a déménagé. On a quitté une petite ville du Nebraska pour nous installer dans une ville encore plus petite en Géorgie. Mes premiers souvenirs remontent à notre maison à Macon. Je ne connaissais rien d'autre à la vie que le regard vide de ma mère et ses crises de hurlements. Par moments, elle pouvait se montrer gentille, mais sinon, elle était effrayante. Elle parlait beaucoup à mon frère. Pendant des années, je n'ai pas compris à qui elle s'adressait. Il n'y avait qu'elle et moi. Mais je pense qu'elle le voyait.

Je fermai les yeux en repensant à ma mère en grande conversation avec mon frère mort comme s'il était dans la même pièce. L'assiette qu'elle lui préparait, et ses encas favoris en train de pourrir sur la table. Un jour, ils avaient tellement moisi que je n'avais pas pu pénétrer dans la cuisine sans avoir la nausée. Elle finissait par tout jeter et lui préparer un nouveau plat.

— Personne ne se rendait compte qu'elle n'allait pas bien ? interrogea Woods dont les pouces traçaient des cercles sur ma main.

— Non. Personne ne nous rendait visite. Personne ne savait que j'existais. On ne quittait pas la maison. Jamais. Ma mère était persuadée que le monde extérieur était dangereux. Elle nous gardait à l'abri.

Woods retint sa respiration. J'attendais ses questions. Celles auxquelles j'avais répondu des millions de fois depuis son suicide.

— Vous faisiez comment pour les courses ?

— L'épicerie du coin nous livrait à domicile. Elle appelait pour passer commande.

— Et pour l'argent ?

— Mon père avait une très bonne assurance-vie. Ma mère a vendu la maison du Nebraska et, avec la plus-value, elle a acheté une maison plus petite dans un endroit moins cher pour pouvoir la régler argent comptant.

— Et l'école ?

— À la maison.

— Tu n'es jamais sortie de chez toi ? Absolument jamais ?

Les gens avaient tellement de mal à l'accepter. Ma vie d'alors leur était impossible à imaginer.

— Ma mère souffrait d'une forme grave d'agoraphobie. Et les antécédents de troubles mentaux dans la famille n'ont fait qu'aggraver la situation. La mort de mon père et de mon frère a été l'élément déclencheur. Elle cherchait désespérément à nous protéger. Jusqu'à en voler ma vie. Je ne savais rien de l'existence jusqu'à ce que je sois assez grande pour faire le mur, la nuit. Braden, ma meilleure amie et la raison pour laquelle je suis partie à la découverte de moi-même, était notre voisine. Elle se posait des questions sur nous parce qu'elle et ses parents s'étaient rendu compte qu'on ne quittait jamais la maison.

» Lorsque je me suis glissée dehors la première fois, elle m'a aperçue parce qu'elle nous surveillait de son lit pour voir s'il nous arrivait de sortir la nuit. Persuadée que nous étions des vampires, elle était bien décidée à le démontrer à ses parents. Je ne suis pas allée bien loin. Je me suis mise dans le jardin pour regarder la lune et toucher le gazon. Des choses simples que j'avais toujours eu envie de faire. Cette nuit-là, Braden est venue me parler, toujours convaincue que j'étais un vampire. Notre amitié a grandi au fil des années et j'ai fait le mur de plus en plus fréquemment. Braden en savait plus sur moi que quiconque. C'était la seule personne à réellement me connaître. Elle savait aussi que j'avais peur de perdre ma mère si quelqu'un d'autre découvrait ma situation. C'est pour ça qu'elle gardait mon secret.

Je ne pouvais plus continuer. C'en était assez. J'avais besoin d'une pause. Le reste était trop angoissant et douloureux.

— Où se trouve ta mère, maintenant ?

— Elle est morte.

Il ne dit plus rien et resserra son étreinte.

— Je ne peux plus continuer pour ce soir, dis-je.

Il n'insista pas. Il se contenta de me tenir contre lui. Nous restâmes assis en silence jusqu'à ce que mes paupières s'alourdissent et que je sombre lentement dans le sommeil.

Woods

Il n'y avait aucun mot pour décrire ce que Della avait enduré. Je passai cette nuit-là à la serrer dans mes bras. Elle ne se réveilla pas une seule fois en criant. Maintenant que je connaissais les horreurs qu'elle avait traversées, je me demandais quelles sortes de rêves la faisaient hurler. Je savais qu'il y était question de sa mère. L'histoire allait bien au-delà de ce qu'elle m'avait raconté mais, pour le moment, elle ne voulait pas m'en dire plus. C'était suffisant.

Je la regardai dormir paisiblement à côté de moi tandis que le soleil se levait et que les premiers rayons commençaient à danser à la surface de l'eau. Elle était avec moi, dans mon lit ; tout était parfait. Je n'avais jamais rien vécu d'aussi parfait. Mais j'avais la poitrine serrée et le cœur lourd. Della avait subi tant de douleurs et de chocs émotionnels que je ne savais pas trop comment l'aider à cicatriser.

Elle remua dans mes bras et j'embrassai le bout de son nez. Elle était à moi. J'allais prendre soin d'elle. Je voulais l'aider à oublier toute cette souffrance et cette angoisse qui voilaient son regard. Ses longs cils frémirent puis elle ouvrit les yeux et me regarda.

— Bonjour, saluai-je en étirant les bras avec un sourire somnolent.

— Je n'ai pas dormi aussi profondément depuis très longtemps, constata-t-elle en étouffant un bâillement.

— C'est parce que je suis super confortable.

— Je suis bien d'accord. Toute cette douceur est confortable, dit-elle en me souriant d'un air espiègle.

— Cette douceur ? Je t'en foutrais de la douceur, m'exclamai-je en la retournant sur le dos pour appuyer mon érection matinale contre sa culotte. Il n'y a rien de doux là-dedans.

Elle émit un petit ronronnement et écarta les jambes pour que je me cale confortablement.

— Non, rien de doux du tout, dit-elle en soulevant les hanches pour se frotter contre moi.

Je sentis la soie humide de ses sous-vêtements à travers mon caleçon et grognai de plaisir. Elle était déjà mouillée.

— J'allais me lever pour te préparer le petit déjeuner…

— Hum, c'est adorable. Mais si tu me faisais l'amour, d'abord, proposa-t-elle en attrapant le bas de mon T-shirt, dont je l'avais revêtue la nuit précédente avant de la mettre au lit.

Je lui avais également retiré son soutien-gorge pour qu'elle soit à l'aise. Désormais, les deux globes rebondissaient librement sous mes yeux et j'en oubliais le petit déjeuner et mes bonnes intentions. Même l'expression « me faire l'amour », qui m'avait tout d'abord fait sursauter, n'avait plus aucune importance. Della était dans mon lit, en train de se déshabiller. Elle avait commencé à se tortiller pour enlever sa culotte lorsque je décidai de suivre le mouvement en retirant ma chemise et mon caleçon que je balançai sur le côté.

Della écarta les jambes et me lança un sourire coquin :

— Vas-y sans rien. Tu pourras te retirer, ordonna-t-elle en soulevant les hanches en guise d'invitation.

Se retirer n'était pas infaillible mais, dans l'immédiat, ça m'était bien égal. Je voulais la pénétrer sans barrière et le nectar capiteux qui sortait de sa fente était plus fort que tout. J'écartai ses jambes et plongeai en elle.

Nous poussâmes tous les deux un cri de plaisir tandis que je m'enfonçai au plus profond d'une seule poussée. La chaleur de son sexe étroit m'enveloppa de douceur. Je ne l'avais jamais ressenti de la sorte. J'étais tellement proche de la jouissance que je dus me tenir immobile.

— C'est tellement bon, Woods. J'ai besoin de te sentir, tout près de moi, murmura-t-elle à bout de souffle tandis que sa poitrine se soulevait puis retombait sous moi.

Je tendis la main pour caresser son clitoris du doigt que j'humectai de sa moiteur pour le stimuler. Elle se cambra aussitôt et je la chevauchai lentement. Elle perdit le contrôle et les parois de son vagin commencèrent à enserrer mon sexe. J'allais devoir me retirer avant d'exploser. La sensation était en train de me tuer.

— Continue. Oh, Woods…

Ses cris et supplications s'interrompirent juste avant qu'elle ne se mette à trembler sous moi en hurlant mon nom.

Je bougeai en elle une dernière fois avant de me retirer et de jouir sur son ventre. J'aperçus les nappes de sperme et sentis ma poitrine se serrer. Elle était à moi. Je l'avais de nouveau marquée. Elle m'appartenait.

Je me relevai lentement pour aller chercher un gant de toilette afin de la nettoyer. À mon retour, elle était absorbée dans la contemplation du bazar que j'avais laissé derrière moi, un sourire au coin des lèvres. J'entrepris de l'essuyer et elle se mit à rigoler.

— Qu'est-ce qui te fait rire ?

— C'est la première fois qu'on jouit sur moi comme ça. Je crois que ça m'a plu.

L'idée qu'un autre type puisse l'approcher m'exaspérait. Je ne voulais pas avoir cette image de Della avec un autre mec. Combien y en avait-il eu ? Enfermée par sa mère, elle était passée à côté de la majeure partie de son existence.

— Tu as l'air en colère. J'ai dit une bêtise ?

Je terminai de la nettoyer puis la regardai.

— Ce n'est pas une bêtise, c'est juste… Je n'aime pas penser à toi avec quelqu'un d'autre.

Elle prit appui sur ses coudes et répliqua :

— Il n'y en a eu que trois, toi compris.

Ça faisait deux de trop. Mais ça n'était pas juste de se mettre en rogne, vu le nombre incalculable de filles avec lesquelles j'avais couché.

— Et tu étais mon deuxième, si ça peut t'aider.

Le deuxième ? Qu'est-ce que ça signifiait, bordel ? Et puis non, je n'avais pas envie d'y penser. Elle avait couché avec quelqu'un d'autre après notre première fois ensemble. Et moi j'avais couché avec Angelina. Mais nom d'un chien, c'était dur à avaler. Elle était partie à Dallas et s'était mise avec son boss, celui qui était marié. Pourquoi l'avais-je laissée en plan après cette première fois ? Parce que, justement, c'était un coup d'un soir. Un coup qui m'avait complètement bluffé. On savait tous les deux ce qu'on faisait. À moins qu'elle n'ait voulu autre chose ?

Je ne pouvais pas revenir là-dessus. Je retournai dans la salle de bains pour me calmer. Elle n'y était pour rien. J'étais en train de devenir un connard possessif et elle méritait mieux que ça.

Une main fine se posa sur mon épaule.

— Ça va ?

Je me retournai ; elle se tenait devant moi, nue comme au premier jour, le front barré d'inquiétude. Elle s'était réveillée de bonne humeur et j'avais tout gâché avec mon envie de la posséder. Qu'est-ce qui n'allait pas chez moi ?

Je l'attirai contre moi jusqu'à ce que ses seins touchent ma poitrine.

— Je suis désolé. Je suis un abruti. J'ai carrément pris la mouche en pensant à quelqu'un d'autre… un autre… merde. Je n'arrive même pas à le dire.

Della fit glisser les mains sur mon torse et les noua derrière ma nuque.

— Personne ne m'a jamais pénétrée sans préservatif. Personne à part toi.

L'homme des cavernes en moi tambourinait sa poitrine à l'idée de jouir au plus profond d'elle et de laisser ma semence remplir cette cavité étroite qui m'obsédait tant.

J'écartai les mèches de cheveux de son visage et soulevai son menton pour appuyer mes lèvres fermement contre les siennes. Cette fille allait me consumer.

Della

Woods m'accompagna au club le reste de la semaine, s'asseyant seul à une table pendant que je travaillais. Mon service terminé, je devais lui citer quelque chose que j'avais toujours rêvé de faire sans jamais en avoir l'occasion. Et, chaque jour, il exauçait mes souhaits. C'est ainsi que nous fîmes du bateau, un tour en hélicoptère, du parapente et que nous dégustâmes des huîtres. Il ne me quittait que rarement. Entre nous, le sexe était incroyable et semblait gagner en intensité. La nuit, je ne faisais plus de cauchemars. Je dormais profondément et me réveillais fraîche et dispose.

Ce soir avait lieu le grand feu du personnel, auquel j'étais attendue. Je n'étais pas certaine que m'y rendre avec Woods fût une bonne idée. À part Bethy et Jimmy, personne ne savait qu'on sortait ensemble. Je n'avais croisé personne d'autre quand nous étions en tête à tête. J'enfilai un bikini et une robe d'été assortie. Je n'étais pas sûre d'être assez courageuse pour me baigner, mais Bethy m'avait dit que tout le monde se trempait au moins les pieds.

Woods gara son pick-up et le contourna pour m'ouvrir, parce qu'il avait décrété que je ne devais pas ouvrir une portière toute seule. C'était tellement adorable.

Sa main glissa dans la mienne et la serra. Nous y voilà. Si certains membres du personnel avaient encore des doutes à notre sujet, Woods était parti pour mettre les points sur les *i*.

— Tu es sûr de ne pas vouloir prendre la fuite? demandai-je en lui souriant.

— Sûr.

— Ils risquent de me traiter différemment, répliquai-je en pensant que certains pouvaient m'en vouloir.

— Je les virerai.

Je me figeai sur place et le dévisageai. Il avait un petit sourire en coin. Je lui assénai une claque sur le bras.

— C'est pas drôle!

— Si, c'est drôle. Et en plus c'est vrai, s'ils t'embêtent, je les vire.

Nota bene : ne jamais lui dire si quelqu'un m'embête.

Nous rejoignîmes le rassemblement d'invités au son de la musique dans l'air parfumé par le feu de bois. Certains dansaient. D'autres faisaient rôtir quelques mets au-dessus des flammes tandis qu'une poignée jouait au volley à la lueur de la lune.

— Tu as soif? s'enquit Woods en me conduisant vers un tonnelet posé sur des billots.

— Je n'aime pas trop la bière. J'en ai bu une fois et j'ai été malade.

— Tu avais beaucoup bu?

— C'était cul sec à l'entonnoir. À vrai dire, je ne sais pas trop.

— Tu as bu de la bière à l'entonnoir?

Cela faisait partie de ma liste de choses à faire : aller à une soirée et boire des litres de bière. Je ne connaissais pas la technique de l'entonnoir, mais ça n'avait pas été très difficile de me faire essayer. Braden m'avait prévenue que ça me rendrait malade, mais j'avais quand même tenté le coup.

— Ouais. Mauvaise idée. C'était une soirée étudiante.

La soirée où j'avais rencontré le gars à qui j'allais donner ma virginité. Trois rencards plus tard, il m'avait convaincue de coucher avec lui. J'avais été tellement naïve et stupide.

— Vous voilà, lança Bethy avec le sourire et un grand verre en plastique. Cul sec ! Bière à volonté.

Je secouai la tête.

— Della ne boit pas de bière. Il n'y a rien d'autre ?

Bethy opina du chef et rebroussa chemin jusqu'à une glacière dont elle sortit une bouteille d'eau qu'elle me lança. Parfait.

— Merci.

Elle me salua avant de retourner vers les gens qui dansaient. Jace vint à sa rencontre et la prit dans ses bras.

— Tu vois un inconvénient à ce que je boive de la bière ? me demanda Woods.

Je secouai la tête et avalai une gorgée d'eau.

— Tant mieux. Je boirais bien un coup.

Je le regardai s'éloigner. Je ne pouvais pas le suivre partout. J'étais trop en demande par rapport à lui. Je ne voulais pas devenir dépendante. Ma psychiatre m'en avait parlé. Elle m'avait conseillé de gagner en autonomie, ce qui pourrait être difficile après ce que j'avais traversé.

— Salut ! Della, c'est ça ? m'interpella un type inconnu d'une voix légèrement éméchée. (Je hochai la tête, sans trop savoir qui il était ni d'où il connaissait mon nom.) Nelton, je suis tennisman professionnel au club, poursuivit-il clin d'œil à l'appui.

Je hochai de nouveau la tête et jetai un œil vers le bar où Harold et Woods étaient en pleine discussion.

— Ravie de te rencontrer.

— Ça fait un moment que je te regarde. Je ne savais pas si tu étais libre ou non.

Il fit un nouveau pas vers moi et je réussis à me déplacer sur sa droite sans donner l'impression de l'éviter. Je n'étais pas sûre de vouloir annoncer que j'étais en couple avec Woods.

— Tu es une amie de M. Kerrington ? Je t'ai vue arriver avec lui.

— Je peux t'aider, Nelton ? interrompit Woods avant de se glisser derrière moi.

Je poussai un soupir de soulagement. Je n'avais pas vraiment envie de répondre à cette question.

— Non, monsieur, je faisais simplement la connaissance de Della.

Woods plaqua sa main sur mon ventre, d'un geste possessif. Nelton s'en aperçut. Il ouvrit grands les yeux et hocha la tête.

— Ravi de t'avoir rencontrée, Della. À plus tard, monsieur Kerrington, salua-t-il avant de s'éloigner nonchalamment.

— Je ne peux pas te laisser seule trois minutes, observa Woods avant de me mordiller l'oreille.

— Ton tennisman professionnel est flippant.

— On est bien d'accord, concéda Woods en riant, mais les cougars l'adorent. Je sais pertinemment qu'il couche avec plusieurs d'entre elles, mais comme il les rend heureuses, on évite de le virer. Ça ne serait pas bon pour les affaires.

Je ne savais pas trop ce qu'il entendait pas « cougars », mais je ne dis rien. J'avais envie de faire pipi. Je jetai un œil alentour : il n'y avait pas de toilettes. Je vis Bethy et décidai de lui demander.

— Je voudrais poser une question à Bethy, je reviens.

En me voyant arriver seule, elle se dégagea de l'étreinte de Jace et vint à ma rencontre.

— Tout va bien ?

— Oui, j'ai juste envie de faire pipi. Ça se passe comment ici ?

Bethy eut un petit sourire et pointa le menton en direction de l'eau, où les invités s'aspergeaient et nageaient dans les vagues.

— Dans le Golfe ? demandai-je d'un air perplexe.

Elle acquiesça.

Mince. J'étais dans de sales draps.

Je retournai auprès de Woods qui ne me quittait pas des yeux. J'allais devoir le lui dire, aussi frustrant et embarrassant que ce soit. Je pourrais peut-être marcher un peu le long de la plage et faire pipi plus loin. Personne ne me verrait.

Une fille s'écria qu'elle mourait d'envie de pisser et se précipita dans l'eau. C'était vraiment dégueulasse.

Je me plantai devant Woods, le visage en feu. Je n'avais jamais été douée pour causer fonctionnement du corps avec les mecs.

— Qu'est-ce qui ne va pas ?

Je baissai la tête et pris une profonde inspiration.

— J'ai envie de faire pipi.

Il resta silencieux puis se mit à rire.

— C'est pour ça que tu as foncé retrouver Bethy ? Pourquoi tu ne m'as rien dit ?

— Parce que, répliquai-je sans relever la tête.

Il rit de plus belle et entrelaça ses doigts aux miens.

— Elle t'a expliqué où aller ? (J'acquiesçai.) Tu veux que je te conduise à la maison pour que tu puisses aller aux toilettes ? demanda-t-il en m'attirant contre lui.

Je n'avais pas envie de me soulager dans l'océan. Mais je ne voulais pas non plus qu'on s'en aille.

— Je peux peut-être aller un peu plus loin sur la plage pour que personne ne me voie.

— Je peux venir avec toi ? (Je secouai la tête. Jamais de la vie.) Alors laisse-moi te raccompagner à la maison.

— Mais j'en ai pour une minute.

— Je n'aime pas trop que tu ailles dans l'eau toute seule dans le noir, affirma Woods en me serrant la main plus fort.

— Je pourrais entrer dans l'eau ici et m'éloigner un peu des gens.

— Ça ne me plaît pas, insista-t-il sans lâcher ma main.

— Mais il faut que j'y aille, protestai-je en fronçant les sourcils.

— Je vais t'accompagner autre part. Soit je descends sur la plage avec toi, soit je te conduis à des toilettes.

Après réflexion, je décidai que je n'arriverais pas à aller dans l'eau. Je capitulai en soupirant :

— Conduis-moi à des toilettes.

— Les plus proches sont à la maison, conclut-il en souriant.

— Alors conduis-moi à la maison.

Woods

Della m'avait demandé de l'attendre dans le pick-up pendant qu'elle allait aux toilettes. J'avais accepté. En revanche, pour rien au monde je ne l'aurais laissée entrer dans les eaux sombres de l'océan. Pourtant, au bout de plusieurs minutes, je décidai d'entrer pour vérifier que tout allait bien. Elle avait eu amplement le temps de passer aux toilettes.

Dès que j'eus posé le pied sur le perron, j'entendis la voix haut perchée d'Angelina. Merde. Sa voiture n'était pas garée dehors. Qu'est-ce qu'elle faisait chez moi?

Je ralliai le salon à grands pas. Della se tenait contre le mur, les bras croisés sur la poitrine tandis qu'Angelina continuait à la harceler de questions.

— Qu'est-ce que tu fous chez moi? hurlai-je en passant devant elle pour agripper Della et la protéger.

C'était un miracle qu'Angelina n'ait pas déclenché une crise de panique chez Della. Je caressai son dos pour la rassurer tout en lançant un regard noir à Angelina, qui me toisait.

— C'est pour ça? Tu as gâché ton avenir pour elle? Elle est serveuse au club, Woods. À quoi tu penses, nom de Dieu? Regarde-la. Elle est... elle... elle ne ressemble à rien. Absolument rien chez elle ne te correspond. Tu la baises pour exprimer une forme de rébellion?

Je sentis Della tressaillir et j'étais à deux doigts de passer outre le fait qu'Angelina était une femme. J'étais prêt à lui faire du mal.

— Fais bien attention à ce que tu dis. Tu es entrée par effraction chez moi. Je vais te coller en tôle jusqu'à ce que ton père t'en fasse sortir.

Sentant Della se raidir, je glissai un doigt sous son menton pour observer ses yeux. Elle était avec moi. Bien. Je regardai de nouveau Angelina.

— Tu n'as rien à faire ici. Ne remets jamais un pied dans cette maison. Et reste bien à l'écart de Della. Si tu lui parles ou lui fais du mal, tu vas le regretter.

Angelina siffla et fit tournoyer sa chevelure par-dessus son épaule.

— Ne me menace pas, Woods Kerrington. Tu ne me fais pas peur. Cette espèce de farce avec elle (elle pointa son long ongle manucuré sur Della) est ridicule. Je t'aurais quand même épousé. Il suffisait de me prévenir que tu avais besoin de temps pour te sortir celle-là de la tête.

De nouveau, Della sursauta dans mes bras. J'en avais assez.

— Sors d'ici tout de suite, hurlai-je.

— Il faut que j'appelle quelqu'un pour qu'on vienne me chercher. Mon père m'a déposée ici. Je pensais t'attendre pour te parler. Mais c'est elle qui est entrée à la place.

— Tu as un téléphone. Sors de chez moi et appelle quelqu'un. Dehors !

Angelina tourna les talons qui claquèrent sur le plancher en bois. Lorsque la porte se referma derrière elle, je soulevai Della pour l'emmener dans ma chambre et m'assis sur le lit à côté d'elle.

— Regarde-moi, intimai-je, ressentant le besoin de voir son visage.

Elle leva les yeux sur moi. La confusion et la douleur que je m'attendais à y trouver n'y étaient pas. Au lieu de cela je lus… de la colère.

— Tu allais épouser cette salope? Sérieusement? À quoi pensaient tes parents? Elle est horrible, Woods. Tu vaux tellement mieux que ça. Je ne peux pas…

Je recouvris sa bouche de la mienne avant qu'elle ne puisse ajouter un mot. J'étais tellement soulagé d'entendre de la colère et non pas de la douleur dans sa voix. Della me rendit mon baiser avec la même vigueur puis me repoussa.

— Je n'ai toujours pas fait pipi.

Je souris tandis qu'elle filait aux toilettes.

Soudain, la pensée que mon père allait être au courant pour Della me vint à l'esprit. La situation le mettrait hors de lui et il allait mépriser Della. S'il y avait le moindre moyen de faire taire Angelina, je n'hésiterais pas. Mais comment m'y prendre? Rien de plus redoutable qu'une femme rejetée. Elle avait été dédaignée au profit de quelqu'un d'autre et était furieuse.

Je pris soin d'éteindre mon téléphone. S'il avait envie d'appeler ce soir, je ne serais pas disponible. Je voulais m'assurer que Della n'était pas dans les parages quand j'aurais cette conversation avec lui. S'il me poussait trop, j'étais prêt à faire mes valises et à mettre les bouts. Della avait fait la liste des endroits qu'elle voulait voir et on irait tous les visiter.

La porte des toilettes s'ouvrit et Della en sortit dans un bikini jaune qui contenait à peine ses seins. Comme celui qu'elle avait porté ce jour-là à la plage, à en faire baver tous les mecs. Je la regardai s'avancer vers moi.

— Tu sais quel jour on est? demanda-t-elle.

J'avais les yeux rivés à sa poitrine. Ses seins rebondissaient au rythme de ses pas.

— Samedi.

D'un geste elle dénoua le haut de son bikini qu'elle laissa tomber par terre, dévoilant ses seins. On n'avait pas l'air de s'orienter vers un retour au feu sur la plage.

— Ça fait sept jours que j'ai commencé la pilule, énonça-t-elle en glissant les pouces sur les côtés de sa culotte qu'elle fit coulisser le long de ses jambes.

Sept jours. Comment j'avais pu oublier ? Je retirai précipitamment ma chemise, me redressai et soulevai Della pour la jeter sur le lit.

— J'avais peur que tu ne sois bouleversée par mon ex et voilà que tu sors de la salle de bains en me faisant un strip-tease. Nom de Dieu, tu es l'incarnation de tous mes fantasmes.

Elle rejeta les bras au-dessus de sa tête et empoigna la tête de lit.

— Je veux que tu jouisses en moi. Encore et encore, affirma-t-elle en écartant les jambes tout en se cambrant malicieusement.

Je retirai mon short de bain et montai sur elle.

— La première fois va être rapide, parce que je ne peux pas attendre. J'en ai besoin. On ira plus lentement la fois d'après, je te le jure.

Elle passa lentement sa langue sur ses lèvres.

— Baise-moi violemment.

J'allais exploser avant d'être en elle si elle continuait son petit manège.

Je soulevai ses hanches et m'enfonçai en elle d'une poussée vigoureuse.

— Oh oui ! hurla-t-elle.

J'en oubliai toute considération de douceur. Elle avait envie d'un *bad boy* et j'étais prêt à le laisser se déchaîner. L'idée de jouir en elle faisait durcir mes couilles. Ce soir, rien ne pourrait m'arrêter. J'allais la baiser dans toute la maison.

Je m'abîmai en elle, sans m'arrêter, d'avant en arrière, jusqu'à ce qu'elle se torde sous moi. Elle supplia en hurlant mon nom. Ses ongles griffèrent mon dos. Les marques y seraient encore le lendemain. Cette idée me rendit encore plus fou. Je voulais qu'elle me marque sur tout le corps. Tout aussi profondément que je m'apprêtais à marquer sa chatte.

Della souleva les genoux et enserra mes hanches de ses jambes en haletant :

— Je vais jouir…, gémit-elle tandis que ses ongles se plantaient dans ma chair.

Je la laissai me serrer jusqu'à ce que j'explose en elle. Mon corps trembla encore tandis que je rentrais en elle une dernière fois et que ma semence l'emplissait. J'eus envie de crier triomphalement, sachant que ce territoire m'appartenait. Rien de ce que ma famille exigeait ne pourrait m'éloigner de cela. Ni d'elle.

Della

Assise sous le porche de Woods, je regardais les vagues se briser sur le sable en buvant mon café. Je n'avais pas été autorisée à aller travailler. Woods devait voir son père et me savoir sur place allait le stresser. Il s'inquiétait pour moi. Après la nuit qu'on venait de passer, j'étais trop faible pour faire quoi que ce soit. J'avais donc accepté de rester à la maison.

Si mon job au club devenait problématique, j'allais devoir en trouver un autre. Mais je n'avais pas envie de penser à ça aujourd'hui. L'euphorie de la nuit dernière ne m'avait pas quittée. J'avais perdu le fil du décompte d'orgasmes que j'avais eus, mais je savais que Woods avait joui cinq fois en moi. Chaque fois avait été mémorable.

J'avais pris ma pilule dès le réveil avant de me brosser les dents. Si notre activité sexuelle prenait cette tournure, je ne pouvais pas me permettre de l'oublier.

Je n'envisageais pas d'avoir des enfants. Quelle destinée terrible à donner à un gamin. Une mère vouée à perdre la tête à un moment donné. Aucun gosse ne méritait ça. Je m'étais jurée de ne jamais faire à un enfant ce que ma mère m'avait infligé, mais rien n'était moins sûr. Pas si je craquais mentalement. Ma mère n'avait pas été une mauvaise personne. Elle était malade.

Je repoussai cette pensée. J'étais prudente. Je n'allais pas tomber enceinte.

La sonnerie de mon téléphone retentit. Le nom de Braden s'affichait à l'écran. Je ne lui avais pas parlé depuis plus d'une semaine. J'avais été tellement obnubilée par Woods que je n'avais pas pris le temps de l'appeler.

— Bonjour !

— Salut, belle inconnue qui n'appelle plus jamais sa meilleure amie. Comment vas-tu ?

— Je vais bien.

Cette réponse simple en disait long.

— Bien ? répéta Braden en éclatant de rire. Bien comment ? Bien comme il est chaud bouillant et te donne plein d'orgasmes, ou bien comme tu n'avais jamais connu ça au pieu, ou bien comme tu vas l'épouser et lui faire des enfants ?

Mon sourire s'évapora à cette dernière phrase. Mon cœur se mit à battre à tout rompre. L'épouser et lui faire des enfants… Je ne pourrais jamais l'épouser. Il le savait. Je lui avais dit que j'étais folle et que je pouvais craquer à tout moment. M'aimait-il seulement ? Je ne pense pas. Il ne me l'avait pas dit. Moi je l'aimais. Je l'aimais plus que tout. Mais je ne pouvais pas l'épouser. Cette histoire était vouée à l'échec. Il allait vouloir des enfants. Pas d'une femme qui allait inéluctablement perdre la raison.

Mon Dieu, qu'avais-je fait ?

— Della, tout va bien ? demanda Braden d'une voix inquiète. Mince. Della, je n'ai pas réfléchi avant de dire ça. Je suis désolée, ma puce. Pense au plan cul. Pense à tout ce que tu veux me dire. Reste concentrée. Reste avec moi.

Elle déployait des efforts monstres pour me ramener à elle. Mais je n'avais pas déraillé. J'étais absolument lucide, quant à la vérité, quant aux faits. Je m'étais laissée emporter et les avais oubliés.

— Je l'aime. Mais je ne peux pas l'aimer, murmurai-je dans le combiné.

Derrière moi la porte s'ouvrit et je découvris un homme que je n'avais vu qu'une seule fois à ce jour. Il était présent à la soirée caritative où j'avais chanté. C'était le père de Woods.

— Ne dis pas ça, Della. Tu peux tout à fait l'aimer. Tu le mérites. Tu n'es pas ta mère. Tu peux prétendre au bonheur. C'est ce que je te souhaite depuis si longtemps. Est-ce qu'il t'aime, lui aussi ?

Je vis le père de Woods s'avancer et prendre place sur une chaise face à moi. Que faisait-il ici ? Il était censé être avec Woods.

— Je ne peux pas. Je ne sais pas, répondis-je sans réussir à m'arracher du regard froid et sévère posé sur moi.

— Si, tu peux. Tu peux avoir des enfants. Ils seront magnifiques et uniques, comme toi. Ça n'est pas impossible.

Il fallait que je l'interrompe. Je sentais l'obscurité se refermer sur moi. Des visions de ma mère qui me transperçait de ses yeux fous. Le téléphone glissa de ma main.

— Faisons simple, énonça l'homme d'une voix empreinte de dégoût. Combien d'argent faut-il pour que vous partiez et ne remettiez jamais les pieds dans cette ville ? Votre prix sera le mien.

Della, Della, chantons une chanson. Della, Della, viens manger avec ton frère. Son assiette refroidit. Il t'attend. Della, as-tu vu la chemise préférée de ton frère dans la buanderie ? Il dit que tu l'as prise et il est très contrarié. Il refuse de manger, Della. Il ne veut rien savoir. Il faut qu'il avale quelque chose.

Es-tu sortie, Della ? Ton frère dit que oui. Il dit que tu t'es glissée dehors pendant que je dormais. Il te voit. Il veut te protéger. Je n'ai pas réussi à le protéger, mais il m'aide à le

*faire pour toi. Tu ne veux pas te sentir en sécurité, Della ? Tu
ne peux pas sortir.*

*Della, il m'a dit qu'il m'attendait. Il m'aime, Della. Toi, tu ne
m'aimes pas. Tu veux me désobéir et filer dehors en pleine nuit.
Lui ne me désobéit pas. Il aurait préféré rester avec moi. Maintenant, il m'attend. Il dit qu'il mangera si je vais le voir. Della,
comment je peux faire pour aller le voir ? Comment faire ?*

*« Maman ! NON ! » Mes cris n'atténuent pas la douleur. Il
y a du sang partout. Une flaque de sang tout autour de son
corps. Je l'ai laissée et elle est partie le retrouver. Je n'aurais
pas dû sortir. Je n'aurais pas dû la laisser.*

Je clignai des yeux à plusieurs reprises. J'étais par terre.
Je touchai le bois tiède sous mon corps et me redressai
lentement. J'étais allongée sous le porche. Déboussolée,
je regardai tout autour de moi : mon téléphone reposait
sur la chaise longue et ma tasse de café sur la table à côté.

M. Kerrington était passé. J'étais au téléphone avec
Braden. Merde, Braden. Je vis que j'avais raté plusieurs
appels d'elle et deux de Woods. Je n'avais pas perdu
connaissance très longtemps. Une heure tout au plus.
Bien.

Je jetai un œil vers la porte en me demandant comment
faire pour M. Kerrington. Avais-je rêvé sa visite ou était-il
réellement venu ? M'aurait-il laissée comme ça ? Aurait-il
appelé Woods ? J'étais en train de me relever lorsque la
porte d'entrée s'ouvrit et que Woods se précipita sur
moi. Je me redressai juste à temps lorsqu'il débarla sous
la véranda et me prit dans ses bras.

— Tu vas bien. Tu ne répondais pas. J'ai appelé et tu ne
répondais pas. Pourquoi étais-tu par terre ? C'est encore
arrivé ? Tu as eu une crise de panique ? Pourquoi ? Viens
ici, bredouilla-t-il en s'asseyant sur la chaise longue et en
me prenant sur ses genoux.

Il repoussa les mèches de cheveux qui tombaient sur mon visage et déposa un baiser vigoureux sur mes lèvres.

— Tu m'as fait une de ces peurs, Della. Pourquoi tu ne répondais pas, bébé, tout va bien ?

Je ne voulais pas lui dire la vérité mais, en même temps, je ne voulais pas lui mentir. Mais comme je n'étais pas sûre que son père soit venu, je préférais ne pas l'évoquer.

— J'étais en train de discuter avec Braden. Elle a dit quelque chose qui a réveillé un souvenir. Ce n'était pas volontaire, cela arrive parfois. Je crois que je me suis évanouie. Je me suis réveillée par terre. Elle m'a appelée encore plus de fois que toi. Il faut que je la rappelle, elle doit être en train de flipper.

Woods m'attira dans ses bras.

— Nom de Dieu, je déteste l'idée que tu traverses ça toute seule. C'est insupportable.

Il ne pouvait pas continuer comme ça. Mes problèmes le bouleversaient beaucoup trop. J'étais déjà mal en point et ça n'allait pas s'arranger. C'était inévitable. Pourrait-il gérer ? Non. C'était impossible. Sans compter qu'il allait vouloir des enfants à un moment donné.

— Tu ne peux pas être avec moi tout le temps, Woods. Il faut accepter que ça va se produire quand tu n'es pas là.

— Je ne peux pas, lâcha-t-il dans un soupir. Je ne veux pas que tu sois seule quand ça arrive. Je vais trouver un remède. Je vais trouver les meilleurs médecins pour te soigner. Tu peux t'en sortir. Je te le promets.

Il avait l'air tellement déterminé. Je n'avais pas été sincère. Je n'avais pas expliqué que c'était à peine le début de ma folie.

L'intensité de son regard semblait refléter mes sentiments. Est-ce que cela voulait dire qu'il m'aimait ? L'avais-je laissé tomber amoureux de moi, totalement aveugle à celle qu'il aimait ?

Woods

Della rappela Braden pour la rassurer puis alla faire une sieste. Elle avait l'air absente. Quelque chose ne tournait pas rond. Je ne l'avais jamais vue dormir en pleine journée. Elle ne m'avait pas tout raconté sur sa crise, je le voyais dans ses yeux. Comme une hésitation.

Je restai à la porte de la chambre pour la regarder dormir. Elle était repliée en boule, comme bien souvent.

La voir allongée par terre m'avait foutu un coup. En venant, j'avais eu peur de la trouver comme ça. En la voyant batailler pour se redresser, j'en avais eu le cœur net. Je haïssais cette idée. L'idée même qu'elle soit malade. J'allais lui trouver de l'aide. Sans plus attendre.

Fort heureusement, mon père avait été absent pendant la journée. Je n'avais pas réussi à le trouver pour lui parler. Ce n'était pas juste de laisser Della seule à la maison alors qu'elle aurait pu être au bar près de moi. Jamais plus je ne lui imposerais ça. C'est sans doute pour ça qu'elle avait eu cette foutue crise. Elle avait dû croire que je la cachais à mon père car elle posait un problème. J'aurais dû y penser.

Un coup à l'entrée me tira de mes pensées, et je refermai la porte de la chambre pour ne pas réveiller Della.

Tripp se tenait de l'autre côté de la porte moustiquaire, les mains dans les poches.

— Tripp, dis-je en guise de bonjour.

— Je suis venu dire au revoir. Il est temps que je parte.
Mon père est venu me voir hier et ça ne s'est pas bien passé.

Je comprenais. Partir était peut-être la seule solution
pour moi aussi. Ça l'était pour lui.

— Tu vas où ?

— Je ne sais pas encore. Je saurai quand j'aurai trouvé.

Je hochai la tête et jetai un œil dans le couloir.

— Je t'aurais bien invité à boire un verre, mais Della
est en train de dormir. Elle n'a pas passé une bonne
matinée et je ne veux pas la déranger.

— Je comprends. Je voulais lui dire au revoir à elle
aussi. Tu le feras pour moi.

Je n'aimais pas l'idée qu'il ait quoi que ce soit à lui dire
mais j'opinai du chef. Inutile de jouer au con.

— Je n'y manquerai pas.

— Alors comme ça, elle reste dans le coin ?

— Ouais.

— Et ton père est d'accord ? J'ai appris qu'Angelina
était au courant. La nouvelle s'est ébruitée.

Merde.

— Je n'ai pas encore parlé à mon père.

— Il faut que tu le fasses. Avant qu'il ne lui parle en
premier.

Il avait raison, évidemment. Je devais m'assurer que
mon père restait à distance de Della.

— Je vais le faire.

— C'est la bonne, Woods ? Pour toujours ? Elle mérite
de tout foutre en l'air ?

Je savais qu'il me posait ces questions en tant qu'ami
qui avait fait un choix du même acabit.

— Oui. C'est elle. Je n'en voudrai jamais une autre.

Tripp sourit.

— J'arrive pas à croire que Woods Kerrington soit
réellement tombé amoureux.

L'expression « tombé amoureux » me surprit, mais uniquement parce que je ne l'avais pas encore formulée. Elle m'était étrangère. Je n'avais pas encore pensé à prononcer le verbe « aimer », mais il avait vu juste, j'étais amoureux. Je jetai de nouveau un œil en direction de la chambre et me représentai Della paisiblement endormie sur mon lit. Je l'aimais. J'aimais savoir qu'elle était ici. Qu'elle était à moi. Que je pouvais prendre soin d'elle.

— Je l'aime, énonçai-je simplement.

Tripp me gratifia d'une claque dans le dos.

— Parfait. Elle en a besoin.

Sur ce, il sortit. Je ne me retournai pas pour le regarder partir ni lui faire au revoir de la main. Je m'approchai de la porte de la chambre. Je posai les mains de chaque côté du chambranle et appuyai mon front contre la porte. Je l'aimais. Je l'aimais avec un sentiment d'une telle férocité que je n'arrivais pas à le définir. Je ferais tout ce qu'il fallait pour l'aider. Elle allait être heureuse. J'allais passer chaque seconde de mon existence à lui donner le sourire. Il fallait que je lui déniche un docteur. C'était la première étape : lui trouver des soins.

La poignée tourna et la porte s'ouvrit lentement. Mes mains retombèrent le long de mon corps tandis que Della plantait son regard dans le mien. Ses cheveux étaient tout ébouriffés et elle avait encore l'air fatigué.

— Tu m'aimes ?

L'entendre prononcer ces mots fit chavirer mon cœur. Elle savait.

— Oui. Plus que ma vie.

Au lieu de se jeter dans mes bras pour me dire qu'elle m'aimait elle aussi, elle cacha son visage dans ses mains et se mit à sangloter. Je restai un moment interdit, totalement dérouté par sa réaction. Je ne m'attendais pas du tout à cela.

— Della ? murmurai-je tandis que l'angoisse s'installait dans ma poitrine.

— Tu ne peux pas m'aimer. Tu mérites mieux. Pas moi, dit-elle en levant sur moi son regard plein de larmes.

— Personne n'est mieux que toi, Della.

— Non, non, non, protesta-t-elle en secouant la tête. Tu ne vois pas ? Je suis instable. Sur le long terme… plus tard… dans la vie, je pourrais devenir comme ma mère. Tu ne peux pas m'aimer.

Sa mère ? Elle n'allait pas devenir comme sa mère. Pourquoi s'était-elle mis ça dans le crâne ?

— Tu es tout ce que je peux désirer, bébé. Toi. Tu ne seras pas comme ta mère. Tu es exceptionnelle et unique et on va te trouver de l'aide. Et je serai à tes côtés tout du long. Je ne te quitterai jamais. Je te le jure.

Della me regardait, le visage baigné de larmes. Je tendis la main pour lui essuyer les joues et l'attirai vers moi pour l'embrasser.

— Je ne veux pas te détruire, murmura-t-elle.

— Te perdre serait la seule chose qui pourrait me détruire.

Elle ferma les yeux et soupira.

— Mais si je perds la raison ?

Il fallait que je réussisse à lui faire comprendre que ça n'allait pas se produire. Merde, elle n'était pas sa mère !

— Ça n'arrivera pas. Je t'en empêcherai.

Della renifla et secoua la tête.

— Tu ne peux pas le contrôler.

Si, j'allais trouver un moyen de contrôler cette saloperie.

— Tu m'appartiens. Tu m'entends ? Tu es à moi, Della Sloane. Je vais prendre soin de toi. Rien ne pourra t'éloigner de moi. Rien.

Della

J'avais passé le reste de la journée sous le porche, en boule sur les genoux de Woods à contempler l'océan. Nous avions échangé à peine quelques mots. Nous étions restés serrés l'un contre l'autre. J'avais fait tout mon possible pour croire ses paroles. De temps à autre, il avait tenté de me rassurer.

Le soir venu, j'avais réglé mon réveil, sachant que je travaillais aujourd'hui au service du petit déjeuner et qu'il était hors de question que je rate un autre jour sous prétexte que Woods avait décidé de me dorloter. J'étais une grande fille et je pouvais faire face à la situation. Il m'avait accompagnée et embrassée à plusieurs reprises avant de me laisser me préparer en cuisine. Il était en retard sur ses dossiers au bureau et m'avait promis qu'il y passerait la journée sans me tourner autour. Il avait fallu le supplier sans relâche, mais il avait fini par accepter.

J'entrai dans la cuisine et aperçus une superbe blonde avec un ventre très rond en train de parler à Jimmy. Elle se frottait l'abdomen et roucoulait à l'attention de son bébé. Elle leva les yeux et croisa mon regard. Un sourire sincère éclaira son visage. Elle m'intrigua aussitôt.

— Bonjour, lança-t-elle d'un accent traînant du Sud doux comme du miel.

Je ne parvins pas à déceler de quel coin exactement elle venait. Mes yeux tombèrent sur un gros diamant à son doigt. À tous les coups, elle était membre du country club. Mais que faisait-elle dans la cuisine avec Jimmy ?

— Bonjour, répondis-je.

Jimmy me lança un regard enjoué.

— Ravi que tu sois de retour, ma poulette. Hier, c'était la merde sans toi. (Je lui souris et retournai aussitôt mon attention sur la blonde.) Della, je te présente Blaire. C'est ma meilleure amie, qui m'a abandonné pour un autre. Et je ne lui en veux pas vu que le mec est une bombe. Blaire, voici Della, qui s'envoie – ou pas – le patron.

— Jimmy !

Blaire et moi nous étions exclamées en même temps. Je n'arrivais pas à croire qu'il ait pu dire ça. Après tout, je ne connaissais pas sa copine.

— Woods, tu veux dire ? Ce boss-là ? interrogea Blaire avec un sourire malicieux.

Elle me plut aussitôt.

— Évidemment, c'est Woods. Mademoiselle a du goût. Elle va pas se taper le vieux.

— Mais arrête de parler comme ça ! protestai-je, rouge comme une tomate.

— Jimmy n'aurait pas dû m'en parler, mais maintenant que c'est fait, je peux le dire : Woods est un type bien. Si, euh… tu te l'envoies effectivement, tu as fait le bon choix.

Cette conversation était surréaliste. Je la remerciai avec un sourire forcé.

Elle me renvoya un sourire rayonnant comme si elle était sincèrement heureuse que je couche avec Woods. Je me demandais s'ils étaient amis. Je faillis céder à la jalousie puis me souvins de la taille de son ventre et de son diamant. Elle était prise. Totalement prise.

— Si je n'accouche pas dans la semaine, on peut peut-être déjeuner ensemble ?

Je regardai son ventre, puis son visage. On aurait dit qu'elle allait accoucher d'un instant à l'autre. À part le ballon de basket qui lui faisait office de bidon, elle était toute mince.

— Oui, c'est une bonne idée, répondis-je.

— Della Sloane, interpella soudain une voix sévère.

Je me retournai et découvris un agent de police qui se tenait dans l'encadrement de la porte.

— Monsieur ?

La dernière fois qu'un représentant de la loi était venu me chercher, ça ne s'était pas bien terminé. L'angoisse qui accompagnait ce souvenir me figea sur place. Je n'aimais pas les agents de police.

— Vous allez devoir m'accompagner, mademoiselle, ordonna-t-il en tenant la porte ouverte.

Tous les yeux étaient rivés sur moi. J'avais envie de disparaître, mais j'étais incapable de bouger.

— Mademoiselle Sloane, si vous ne me suivez pas de votre plein gré, je vais devoir aller à l'encontre des souhaits de M. Kerrington et vous arrêter dans le country club.

M'arrêter ? Au souvenir des menottes cliquetant à mes poignets tandis que l'agent me lisait mes droits, mon cœur se mit à battre à tout rompre. Il fallait que je me maîtrise. Ce n'était pas le moment de tomber dans les vapes. Impossible d'avoir une crise. Il fallait que j'aie toute ma tête.

— Pourquoi l'arrêtez-vous ? Je ne crois pas une minute que Woods soit au courant de ça, vociféra Jimmy en s'interposant entre lui et moi.

— M. Kerrington est parfaitement au courant. C'est lui qui m'a envoyé ici pour escorter Della Sloane hors du bâtiment afin de procéder à son arrestation dans le parking. Cependant, si elle n'obtempère pas, je l'arrêterai ainsi que quiconque se dresse sur mon chemin.

Il allait arrêter Jimmy parce qu'il essayait de me venir en aide. Il fallait que je suive l'agent. Je ne le croyais pas quand il disait que Woods était au courant. Quelque chose ne tournait pas rond, et Woods finirait par me retrouver. Je n'allais pas en faire une crise de panique. Hors de question.

— Tout va bien, Jimmy, affirmai-je en le contournant pour rejoindre la porte.

Je sortis sans me retourner et me concentrai sur la sortie du bâtiment. J'avais envie de crier le nom de Woods, mais me retins. Ma bouche était paralysée. J'étais lentement en train de me pétrifier.

Une fois près de la voiture de police, l'agent me poussa en avant, ce qui me fit trébucher. Je me rattrapai en m'agrippant à l'avant du véhicule. Il commença à m'énoncer que j'avais le droit de garder le silence et je fis abstraction de lui. J'essayai de ne pas penser au métal qui se resserrait autour de mes poignets. Sans quoi j'allais sombrer.

L'agent ouvrit la portière arrière, posa la main sur mon épaule et me poussa dans l'habitacle. Je voulais lui demander d'arrêter de me faire mal, souligner que je le suivais sans esclandre, mais j'en étais incapable. Les mots ne venaient pas. La terreur était en train de s'emparer de moi.

Je voulais Woods. J'étais effrayée. Des larmes coulaient sur mon visage, et je me concentrai sur Woods. Sur son visage quand il m'avait embrassée ce matin pour me réveiller. Je l'aimais. Je ne lui avais jamais dit que je l'aimais. Il fallait que je le lui dise.

La voiture s'immobilisa devant la maison de Woods. J'étais soulagée. Je n'allais pas en prison. Je ne savais pas ce que je faisais là, mais le soulagement fit fuir toutes les autres pensées.

Deux Mercedes noires étaient garées dans l'allée. La portière conducteur de la première s'ouvrit et le père de Woods en sortit. Ça ne me disait rien qui vaille. Qu'est-ce qu'il faisait ici, et pourquoi avait-il exigé mon arrestation ?

L'agent de police ouvrit ma portière et, comme je restai immobile, m'extirpa de force de la voiture. Je trébuchai sur les dalles et me rattrapai de justesse, évitant que le flic qui enserrait mon bras ne le déboîte.

— Merci, Josiah, de m'avoir aidé à traiter la question avec délicatesse, dit M. Kerrington à l'agent.

Le policier me lâcha le bras en hochant la tête, puis lança un jeu de clés à M. Kerrington avant de reprendre le volant de son véhicule.

Nous restâmes ainsi en silence. J'étais toujours menottée.

— Bonjour, mademoiselle Sloane. J'espère cette fois-ci que vous parviendrez à garder vos esprits suffisamment longtemps pour que je vous explique précisément ce qui va se passer, commença-t-il en s'avançant vers moi. Suite à notre dernière rencontre, lorsque vous avez trouvé le moyen de vous évanouir, j'ai effectué des recherches vous concernant. J'ai découvert que mon fils gâchait son avenir pour une malade mentale. Ou en passe de le devenir. Apparemment, c'est de famille. Vous montrez d'ores et déjà des signes d'instabilité. Vous êtes censée consulter une psychiatre trois fois par semaine mais vous êtes partie sans un mot voilà six mois. Vous avez fait de la prison pour le meurtre de votre mère, dont vous avez été innocentée grâce à votre alibi. Néanmoins, les anté-cédents de folie sont bel et bien là. Je ne peux pas lais-ser l'héritier des Kerrington saboter son existence pour quelqu'un comme vous. Vous n'êtes pas assez bien pour mon fils. (Il exhiba un bracelet en diamant.) Et pour m'assurer que vous ne remettrez jamais les pieds à Rosemary Beach, j'ai la preuve que vous avez volé ce bracelet à une cliente. Elle l'a fait tomber alors qu'elle dînait dans notre établissement, et vous l'avez pris et caché dans votre valise. Cette dame est prête à vous pardonner et à ne pas donner suite si vous quittez la ville. L'agent qui vous a amenée à moi dispose de ce rapport et procédera à votre arrestation si vous ne quittez pas la ville sur-le-champ. (Il montra du doigt l'autre Mercedes garée dans l'allée.) Vos bagages sont à l'intérieur. J'espère que vous prendrez place dans ce véhicule de votre plein gré afin qu'il vous emmène loin d'ici. Peu importe où. Mais loin.

Je considérai mes options. Je n'avais pas mon téléphone. Je ne savais pas trop où il se trouvait. Je l'avais laissé à la maison ce matin. J'étais toujours menottée et j'allais selon toute vraisemblance finir en prison pour un délit monté de toutes pièces. Où était Woods ?

— Si vous aimez mon fils, et je crois que votre esprit instable a réussi à s'en convaincre, vous allez le laisser tranquille. Oubliez-le. Il n'a pas besoin de vous. Il a besoin de quelqu'un qui lui donnera des enfants en bonne santé. Quelqu'un dont il n'a pas à s'occuper. N'est-ce pas ce que vous lui souhaitez ?

C'était vrai. C'est tout ce que je désirais pour lui. Je hochai la tête.

— Bien. Alors montez dans cette voiture et partez, mademoiselle Sloane.

Je levai les yeux sur la maison qui incarnait l'homme que j'aimais et une larme roula sur ma joue. Il avait pourtant raison. Le moment était venu de partir.

— Je peux vous demander quelque chose ? Je vous en prie, dites-lui que je suis partie parce que c'était mieux pour lui. Pas parce que je ne l'aime pas. Je l'aime vraiment. Je ne veux que son bonheur et qu'il ait tout ce qu'il y a de mieux dans la vie. Je sais que je ne suis pas la meilleure candidate.

M. Kerrington garda le silence. Il resta debout, la main sur la portière arrière ouverte de la voiture, attendant que je prenne place à l'intérieur.

— S'il vous plaît, je ne veux pas qu'il croie que je ne l'ai pas aimé. Il ne mérite pas ça.

— Woods se moquera éperdument de votre départ. Arrêtez de vous bercer d'illusions, ma petite. Pour lui, vous n'êtes qu'une simple distraction.

En mon for intérieur, je savais que c'était un mensonge, mais je ne pouvais pas encaisser un autre choc. J'étais sur le point de refaire une crise. Je tentai de déglutir, malgré la boule dans ma gorge.

— Très bien, et ma voiture ? demandai-je en m'approchant de la berline, les mains attachées dans le dos.

— Elle parviendra jusqu'à vous. Pour le moment, vous la laissez ici. Nous devons nous assurer que vous n'avez rien volé d'autre avant de vous la restituer. Je confie les clés de vos menottes à Leo, votre chauffeur. Une fois que vous serez arrivée à bon port, il vous détachera. C'est pour sa sécurité, bien entendu.

Je ne répondis pas. Je me glissai dans la voiture. La portière se referma derrière moi et je posai la tête contre la vitre, dans l'incapacité de m'adosser à cause des menottes. Je regardai Rosemary disparaître au loin tandis que nous quittions la petite ville.

— Où allons-nous, mademoiselle ? interrogea Leo.

— À Macon, en Géorgie.

Le moment était venu de rentrer à la maison.

Woods

Ma mère m'avait appelé pour me signifier que mon père voulait me parler. Je m'étais préparé à cette confrontation et j'allai le voir pendant que Della était au travail. Sauf qu'il n'était pas là. Ma mère m'invita à m'asseoir et me prépara un petit déjeuner en l'attendant. Après deux heures à l'écouter me seriner sur mon avenir et me rappeler les souhaits de mon grand-père, je me levai. Je ne resterais pas une minute de plus. Della allait bientôt terminer son deuxième service et je comptais bien l'attendre à la sortie. J'avais assez perdu de temps.

Mon téléphone se mit à vibrer pour la cinquième fois d'affilée et j'aperçus le numéro de Blaire à l'écran. Je ne lui avais pas parlé depuis qu'elle avait quitté Rosemary avec son fiancé, mais son appel tombait mal. J'avais d'autres chats à fouetter. Je la rappellerais plus tard. J'éteignis mon téléphone et le rangeai dans ma poche.

— Il sera là dans quelques minutes, mon chéri. Laisse-lui le temps. C'est un homme très occupé. Je vais voir si j'arrive à le joindre.

Elle s'apprêtait à lui passer un coup de fil lorsque j'entendis l'une des deux lourdes portes de l'entrée s'ouvrir et se refermer, puis le cliquetis des chaussures de ville de mon père sur le sol en marbre.

— Le voici! s'exclama-t-elle, rayonnante.

Le soulagement se lisait sur son visage. Elle en avait marre de me tenir compagnie. Le sentiment était partagé.

— Désolé, je suis en retard. J'avais une affaire à régler. Des problèmes de personnel que tu as négligés, mais dont je me suis occupé. Il faut maintenant parler de ton avenir et décider de ce que tu veux faire de ta vie. J'ai cru comprendre qu'Angelina n'en ferait pas partie. Je suis prêt à l'accepter. Mais il faut qu'on parle.

J'avais du mal à croire à la facilité avec laquelle il se résignait à mon refus d'épouser Angelina. Il me l'imposait depuis mes dix ans. Je jetai un œil à ma mère, qui me gratifia d'un sourire forcé tout en se tordant les mains d'inquiétude. Il se tramait quelque chose. Ils avaient dû me dégoter une nouvelle future femme. C'est la seule raison pour laquelle ils pouvaient envisager une autre solution.

— Peut-on parler affaires dans mon bureau et laisser ta mère profiter tranquillement du reste de la journée ?

Je lui emboîtai le pas dans le couloir qui menait à son bureau. Je disposai d'exactement trente minutes avant que Della sorte du travail. Je pouvais lui en accorder vingt. Il avait intérêt à causer vite.

— Cigare ? proposa-t-il en s'arrêtant devant la cave à cigares que ma mère lui avait offerte en cadeau de mariage.

Depuis, il s'était fait construire une pièce pour son imposante collection, mais il en gardait quelques-uns dans son bureau pour des raisons pratiques.

— Non, déclinai-je en m'approchant de la fenêtre au lieu de m'asseoir de l'autre côté de son bureau comme un gamin en attente de directives.

— Très bien. Je n'en ai pas non plus envie. J'attendrai ce soir pour en savourer un. Douglas Mortimar vient dîner. Je compte sur toi pour te joindre à nous.

Douglas Mortimar était l'un des plus gros investisseurs du club. Un trou du terrain de golf lui était dédié. Jamais je n'étais invité à de telles réunions.

— Pourquoi ? demandai-je, méfiant.

Je n'avais pas le souvenir que Mortimar ait une fille. Sauf erreur de ma part, son fils, beaucoup plus âgé que moi, rendait visite à sa famille chaque été.

— Tu veux une plus grosse part du business et je suis prêt à te la donner.

Mauvaise réponse.

— Viens-en au fait. Qu'est-ce que tu exigeras de moi ? Je sais qu'Angelina t'a parlé de Della. Je ne suis pas stupide au point de croire qu'elle n'a pas ébruité l'information. Cette salope est rancunière, une des raisons pour lesquelles je ne veux pas être coincé avec elle le restant de mes jours. Donc, tu es au courant pour Della. Parlons de ça en premier, puisque c'est la véritable raison de cette rencontre.

Mon père serra la mâchoire, et je sus que j'avais foutu en l'air son joli traquenard. Cette entrevue avait eu pour objectif de me leurrer en me faisant miroiter tout ce que je pouvais avoir ; suite à quoi il porterait le coup de grâce avec un ultimatum concernant Della. Il allait devoir comprendre que rien ne passait avant elle. Que s'il refusait de l'accepter, je m'en irais. Le Kerrington Club pourrait échoir à quelque parent éloigné, voire au fils de Mortimar, puisque mon père l'aimait tant.

— Je suis au courant de ta passade. Je l'ai rencontrée. Elle n'est pas exactement ce que l'on peut qualifier de stable mentalement.

Comment ça il l'avait rencontrée ? Quand ? Et comment ? Je traversai la pièce à grands pas, posai les deux mains à plat sur le bureau et plantai mes yeux dans son regard calculateur.

— Qu'est-ce que ça veut dire ? grondai-je.

Mon père ne broncha pas. Il se contenta de me fusiller du regard.

— Exactement ce que je viens de dire. Elle n'est pas en forme mentalement, comme tu le sais fort bien. Néanmoins, j'ai mené quelques recherches la concernant et la situation est beaucoup plus grave que tu ne peux l'imaginer.

Il était trop mesuré. Il me cachait quelque chose.

— Quand l'as-tu rencontrée ?

— Je me suis arrêté chez toi hier matin. Elle était seule et j'ai à peine eu le temps de prononcer un mot qu'elle est devenue complètement catatonique. Elle ne réagissait plus. Elle restait immobile, les yeux dans le vide. Tu es un homme intelligent, fiston. Tu ne penses tout de même pas avoir un avenir avec cette fille ?

Hier. Elle était par terre lorsque j'étais arrivé à la maison.

— Tu l'as laissée sur le sol sans rien faire ? Tu n'as pas pensé à m'appeler ?

Mon père haussa les épaules.

— Je ne voulais pas l'approcher. Elle aurait très bien pu m'agresser, comme elle a agressé sa mère. Je suis parti. Et j'ai fait des recherches.

Il l'avait laissée. Je me mis à bouillir intérieurement en contemplant cet homme qui m'était étranger. Il m'avait élevé, mais je ne le connaissais pas.

— T'a-t-elle raconté que la police l'avait trouvée les mains couvertes de sang ? Elle était assise à côté du cadavre de sa mère et se balançait d'avant en arrière, totalement léthargique. Seul un alibi l'a sauvée de l'emprisonnement. Apparemment, c'était elle qui avait appelé les urgences.

Mon estomac se noua. Della avait trouvé le corps sans vie de sa mère. Nom de Dieu. Elle ne m'avait pas raconté ça. Pas plus qu'elle ne m'avait confié qu'elle avait été suspectée de la mort de sa mère ou des circonstances entourant son décès. J'ignorais tant de choses.

— Je ne savais pas qu'elle l'avait trouvée.

Je titubai jusqu'à la chaise derrière moi et me laissai tomber dessus. Pas étonnant qu'elle soit aussi désemparée. Elle avait vécu avec une folle, enfermée, à l'écart du monde. Puis, quand elle avait été suffisamment courageuse pour s'enfuir, elle avait trouvé sa mère sans vie à son retour. Du sang sur les mains. Mon Dieu. Je devais la rejoindre. Il fallait que je la prenne dans mes bras. Elle allait peut-être bien, mais moi non. Tout ce qu'elle avait eu à encaisser en si peu de temps…

— Il faut que j'y aille, affirmai-je en me relevant.

— Mon rôle de père consiste à prendre les meilleures décisions. Souviens-toi de cela chaque fois que tu penses que je contrôle ton existence. Je t'aide à devenir le Kerrington auquel ton éducation te destine.

Je ne me retournai pas. Je me foutais de ce qu'il voulait ou de ce que j'étais censé être. L'image de mon grand-père enveloppant ma grand-mère d'un regard plein d'amour me revint à l'esprit. Il avait affirmé qu'il n'imaginait pas le monde sans elle. Désormais je comprenais. Je n'étais pas le fils de mon père. J'étais le fils de son père à lui. Le point de vue sordide, infect et impitoyable que mon père avait de la vie ne lui venait pas de ses parents. C'est grâce à eux que j'allais trouver le bonheur. Mon grand-père m'avait appris à chercher.

Della

Lorsque Leo s'engagea dans l'allée qui menait à la maison de Braden, mes poignets étaient à vif et j'avais tellement envie d'aller aux toilettes que j'en avais mal au ventre.

— C'est ici, grommelai-je entre mes dents serrées par la douleur.

Il sortit de la voiture et ouvrit ma portière. Je m'extirpai avant qu'il ne m'agrippe et ne me tire au-dehors. Je souffrais déjà assez.

Sans un mot, il déverrouilla les menottes dans mon dos. Je faillis pleurer de soulagement en sentant mes mains retomber le long de mon corps.

Il sortit mes valises du coffre et les posa dans l'allée. Il me gratifia d'un léger hochement de la tête puis monta en voiture et démarra. Je tentai de soulever mes valises mais une violente douleur irradia mes bras. Mes bagages attendraient.

Je marchai jusqu'à la porte d'entrée et levai les yeux sur la maison que j'avais aidé Braden à décorer avant son mariage. Son mari l'avait achetée quatre mois avant leurs noces afin que Braden puisse la retaper pour emménager après leur lune de miel. C'était terriblement romantique. Dans cette maison, j'avais souvent espéré que, un jour, un homme m'aime aussi fort.

Mais je n'étais pas destinée à être aimée de la sorte, c'était impossible. Ce désir était égoïste.

J'appuyai sur la sonnette et attendis.

La porte s'ouvrit, non pas sur Braden, comme je l'avais espéré pour me jeter dans ses bras, mais sur Kent, son mari.

— Della? s'exclama-t-il en écarquillant les yeux de surprise.

— Bonjour Kent, énonçai-je d'une voix fatiguée. (Ma vessie menaçait d'exploser.) Je peux utiliser les toilettes?

Il s'effaça pour me laisser entrer.

— Euh, bien sûr, tu sais où c'est.

Je passai devant lui et pris le temps de me ressaisir après m'être soulagée.

Après coup, je me regardai dans le miroir de la salle de bains. Mes yeux étaient gonflés et rouges. J'avais l'air pitoyable. Je nettoyai mes poignets au savon et à l'eau. La peau à vif piquait, mais au moins la plaie était propre.

Je retournai dans l'entrée. Kent revenait de l'allée avec mes deux valises. Son regard croisa le mien et l'empathie et l'inquiétude que j'y lus me donnèrent le sentiment d'être encore plus minable.

— Merci. J'ai bien peur de ne pas avoir la voiture. Je n'ai pas eu l'occasion de la rapporter. Mais je vais trouver un moyen de l'acheminer jusqu'ici.

Kent posa mes valises par terre et hocha la tête en direction de la cuisine.

— Entre. Tu veux boire ou manger quelque chose? J'ai appelé Braden. Elle est en route.

Je jetai un œil à l'horloge. Il n'était pas encore 15 heures. Braden devait être à l'école. Elle était institutrice en CE2. Je pris place sur l'un des hauts tabourets que Braden et moi avions dégotés dans une boutique à un prix ahurissant. Elle avait flashé, et Kent ne lui disait jamais non.

— Je ne suis pas Braden, mais tu peux me parler, si tu veux, proposa Kent tout en préparant du thé glacé.

Il n'avait pas pris la peine de me demander ce que je voulais. Il connaissait la réponse. Braden et moi avions formé un tout. Kent l'aimait et acceptait qu'elle me consacre autant d'énergie. Un jour, il m'avait expliqué que c'était l'une des raisons pour lesquelles il l'aimait.

— Je préfère tout raconter une seule fois. Je ne suis pas sûre de pouvoir me répéter, expliquai-je tandis qu'il posait un verre devant moi.

Je savais qu'il comprenait. Il m'avait vue en crise plus d'une fois. Je ne sais pas si Braden était jamais rentrée dans les détails à ce propos. À une époque, je pensais qu'elle ne répétait ça à personne, mais je savais désormais ce que signifiait aimer quelqu'un et vouloir tout partager avec cette personne... Mon opinion avait changé. Cela ne me dérangeait pas. Elle se confiait à Kent parce que ça faisait aussi partie de son histoire à elle. Elle en avait parfaitement le droit.

— Si tu veux que j'aille casser la gueule à quelqu'un, n'hésite pas à me le dire.

L'inquiétude de Kent finit par m'apaiser. Je ne savais pas trop quelle serait la suite des événements, mais j'aurais au moins besoin d'une semaine pour reprendre ma vie en main. Je n'étais pas prête à me retrouver seule. Pas tout de suite.

La porte d'entrée s'ouvrit d'un coup et j'entendis le cliquetis des talons de Braden qui se précipitait vers nous.

— Della! s'écria-t-elle tandis que je me relevais.

Mes yeux s'emplirent de larmes, j'avais tellement besoin de la voir.

— Dans la cuisine, Bray, répondit Kent.

Braden déboula dans la cuisine et un sanglot m'échappa dès que je l'aperçus courir droit sur moi. Ses bras m'enveloppèrent et je m'accrochai à elle. Elle m'avait encouragée à partir pour trouver ma voie et j'avais trouvé tellement plus. Je voulais lui faire comprendre qu'il ne s'agissait pas d'une simple peine de cœur. J'avais engrangé des souvenirs pour toute une vie et pour rien au monde je n'aurais voulu changer quoi que ce soit. Mais, pour l'instant, j'avais surtout besoin qu'elle me soutienne pendant qu'on pleurait toutes les deux.

Elle-même ne savait pas pourquoi elle sanglotait ; elle se contentait de me serrer dans ses bras en versant des larmes. Elle m'avait tellement manqué. J'étais au bon endroit. J'étais à la maison. Malgré les souvenirs qui me hantaient dans ce lieu, c'était chez moi. Braden était mon chez-moi. Elle était tout ce que j'avais.

— Et si on s'installait dans le salon, où vous pourriez pleurer tout votre soûl sur le canapé ? proposa Kent avec douceur.

Braden acquiesça, sans pour autant me lâcher. Après quelques sanglots et reniflements supplémentaires, nous relâchâmes lentement notre étreinte pour nous regarder.

— Ça va ? demanda-t-elle.

Je hochai, puis secouai la tête.

— Je ne sais pas, je suis perdue.

— Allons nous installer confortablement dans le salon, poursuivit Braden en me prenant la main.

Je n'étais pas prête à parler, mais ils méritaient tous deux une explication. Il fallait que je leur raconte dans le détail ce qui s'était passé à Rosemary. Après ça, ils pourraient peut-être m'aider à envisager la suite. Fini les voyages. Le moment était venu de vivre ma vie ici ;

l'environnement m'était familier et je ne pourrais faire de mal à personne.

Je commençai mon récit par l'épisode de la station-service et mon retour là-bas suite à l'intervention de Tripp. Puis je leur racontai comment j'avais donné mon cœur à Woods et à quel point je ne regrettais rien.

À la fin de mon histoire, Braden sanglotait de nouveau.

— Je déteste cet homme. J'ai envie de l'étrangler. Comment a-t-il pu t'infliger ça ? Woods est au courant ?

Je secouai la tête puis me ravisai. Je ne savais plus si Woods était ou non au courant. Pensait-il que je l'avais tout simplement quitté ? Est-ce que ça avait encore la moindre importance ?

— Peu importe. Je ne peux pas rester avec lui. Tu sais mieux que quiconque ce qui m'arrive quand je craque et perds la tête. Je ne veux pas que Woods m'aime et se retrouve avec un corps vide, comme j'ai pu le vivre avec ma mère. Il a toute la vie devant lui, pour laquelle il a travaillé dur. Je ne suis pas la femme dont il a besoin. J'essaie d'être celle dont j'ai besoin. Je ne serai jamais ce dont un homme a besoin, Braden. Tu le sais.

Woods

Le service de midi était terminé depuis dix minutes. Je n'étais pas encore en retard. Je garai le pick-up et me dirigeai à l'intérieur. Je n'avais pas vu Della au cours des six dernières heures. Diablement trop long. Plus jamais je n'accepterais qu'elle enchaîne deux services. Même si elle me suppliait. Je poussai la porte de la cuisine et tout le monde se figea sur place. Habituellement, mon arrivée ne provoquait pas ce genre de réaction. Les employés avaient l'habitude de me voir passer. Jimmy était en train de pointer la fin de son service. Il me fusilla du regard.

— C'est maintenant que tu t'inquiètes du manque de personnel ? Tu orchestres l'arrestation de la meilleure serveuse que j'aie eue depuis Blaire. Sans un mot d'explication.

L'arrestation d'une serveuse ? Qu'est-ce qu'il racontait ?

— Mais de quoi tu parles ? m'exclamai-je en cherchant Della des yeux.

Elle pourrait peut-être m'expliquer à quoi rimait tout ce cinéma.

— Oh, voyons voir, Woods. Peut-être du fait que papa débarque pour arrêter la gentille petite Della en lui foutant une peur bleue et que tu ne lèves pas le petit doigt. Tu les laisses la coffrer sans ciller alors qu'elle était censée assurer deux services.

J'agrippai la première chose qui me tomba sous la main. En l'occurrence le col de la chemise de Jimmy.

— Répète ce que tu as dit sur Della et la police ? Arrête de baragouiner et explique-toi.

Le sang battait dans mes temps. Je savais que quelque chose clochait, mais je ne comprenais rien à ce que Jimmy racontait.

— La police est venue arrêter Della dès son arrivée ce matin. Tu ne le savais pas ? M. Kerrington a demandé qu'on l'escorte jusqu'à la sortie du bâtiment puis qu'on lui passe les menottes. Elle avait la trouille, mec, vraiment.

Je lâchai la chemise de Jimmy qui tituba en arrière. Cette ordure égoïste avait fait arrêter ma Della. Elle avait eu peur. Elle avait eu besoin de moi et je n'étais pas là.

— MERDE ! vociférai-je.

Je quittai la cuisine à fond de train.

— C'est Josiah Burton qui l'a coffrée ! précisa Jimmy derrière moi.

En premier lieu, j'allais mettre la main sur Burton. J'étais allé à l'école avec lui et ce ne serait pas la première fois que je lui péterais la gueule. En revanche, agresser un agent de police, ça allait être une première.

— S'il y a du nouveau, appelle-moi ! répondis-je en ouvrant la porte, direction le commissariat et ce connard de flic.

Pour finir, j'irais voir mon paternel. L'affronter allait être une tout autre paire de manches.

Je ne pris pas le temps de me présenter à l'accueil du poste de police.

— Vous devez signer, interpella Margaret Fritz tandis que je passais devant elle sans un mot.

Le sheriff adjoint Josiah Burton était dans son bureau lorsque je fis irruption et claquai la porte derrière moi.

Je la verrouillai, au cas où j'aurais besoin de temps. Je fusillai du regard l'homme qui avait été soudoyé pour exécuter les ordres de mon paternel.

— T'as intérêt à parler, sale enfoiré, ou la dernière chose que je ferai avant de partir en taule sera de t'exploser la cervelle.

Josiah se releva d'un bond de sa chaise, les yeux ronds d'étonnement.

— J'ai fait exactement ce que ton père m'a demandé. Tout est réglé. J'ai rempli la paperasse ; elle ne pourra pas remettre les pieds en ville. J'ai fait le nécessaire. Relax. C'est bouclé. Inutile de monter sur tes grands chevaux.

Il était persuadé que j'étais au courant. Je réprimai l'envie de lui arracher la tête et le dévisageai en réfléchissant à la manière de gérer la situation. Il me manquait des infos.

— À quelle heure tu l'as arrêtée ?

— Je ne l'ai pas arrêtée. Comme ton père me l'a demandé, je l'ai menottée et embarquée à l'arrière du véhicule de service. Je l'ai un peu intimidée. Puis je l'ai conduite chez lui.

Ma poitrine était sur le point d'exploser. Ils l'avaient volontairement effrayée. Mon père allait le payer. Pour chaque minute qu'elle avait passé à avoir peur, il paierait le prix fort.

— Où est mon père ? Où l'as-tu emmenée ?

— Chez toi, répondit Josiah en fronçant les sourcils.

— Elle y est encore ?

— Non. Je t'ai dit que j'ai réglé toute la paperasse. Elle sait que si elle revient je l'arrêterai. Ensuite on l'a expédiée là où Leo avait pour ordre de l'emmener.

— Pourquoi elle ne peut pas revenir ? demandai-je en serrant les poings.

Josiah fit mine de répondre puis se ravisa. Il me dévisagea un instant et se raidit.

— Tu n'es pas au courant? Il l'a fait sans te prévenir? Putain de merde, souffla-t-il en se laissant retomber dans sa chaise. Oh Woods, je croyais que tu le savais. Je croyais qu'elle était tarée et que tu avais peur de ce qu'elle pouvait faire. C'est pour toi que je me suis débarrassé d'elle. Ton père m'a dit qu'elle était dangereuse. Malade mentale. Pour le coup, je l'ai brutalisée un peu. J'en savais rien... Pitié, dis-moi que cette fille est dérangée et que j'ai fait ce qu'il fallait.

Je fermai les yeux très fort en essayant d'oublier le moment où il avait avoué l'avoir un peu brutalisée. Il fallait que je cogne quelqu'un.

— Tu l'as rudoyée comment? demandai-je d'une voix lente et posée.

— Je l'ai un peu secouée sans raison et j'ai trop serré ses menottes.

Je l'empoignai par son uniforme et le soulevai de son siège.

— Même si elle avait été folle, ça reste une femme. Aucune femme ne mérite d'être traitée comme ça. Aucune. (Je pris une profonde inspiration.) Cette femme, je l'aime. Cette femme, mon connard de père refuse que je puisse l'aimer.

Je le balançai sur sa chaise qui recula et percuta le mur. Je tournai les talons sans présenter d'excuses ni attendre d'être inculpé à mon tour. J'ouvris la porte et retournai jusqu'à mon pick-up.

Leo. Il fallait que je trouve ce salaud de Leo.

Leo n'était pas en ville. Mes parents avaient pris un avion pour New York dès que je les avais quittés ce matin. Cette histoire de dîner avec Mortimar avait été une entourloupe. Un piège. Personne n'en avait entendu parler. Je m'assis sous le porche devant l'océan et composai le numéro de Della pour la centième fois pour écouter sa messagerie.

« C'est Della. Je ne peux pas répondre pour l'instant, mais laissez-moi un message et je vous rappellerai. »

Bip.

C'est encore moi. Tu es partie. Je n'étais pas là alors que tu allais mal. Nom de Dieu, bébé, rien que de penser à quel point tu as dû avoir peur. Et moi qui n'étais pas là pour toi. Il faut absolument que je te retrouve. Où que tu sois. Appelle-moi, Della. Pour me dire que tu vas bien.

Bip.

Je laissai tomber mon téléphone sur la table et agrippai la rambarde devant moi. Ce soir, elle allait être obligée de dormir sans moi. Ses cauchemars allaient revenir et je ne serais pas là. Y aurait-il quelqu'un d'autre avec elle ? Est-ce qu'elle allait se retrouver toute seule ?

Della

Mon téléphone avait disparu. J'avais défait toutes mes affaires et il n'y était pas. Woods ne pourrait pas me joindre. C'était peut-être aussi bien ainsi. Chaque fois que je lui avais expliqué que je n'étais pas suffisamment bien pour lui, ça n'avait rien donné. En me forçant la main, son père lui démontrait la vérité. Le jeu n'en valait pas la chandelle.

L'idée que son père ait fait croire à Woods que j'étais partie de mon plein gré ou que j'avais commis un vol me tourmentait. Je ne voulais pas qu'il me pense capable de ce genre de choses. Après m'être réveillée (et Braden et Kent par la même occasion) en criant la nuit dernière, je n'avais pas réussi à retrouver le sommeil. J'étais restée assise à réfléchir à la suite. Où aller ? Où faire ma vie ? Reverrais-je Woods un jour ? Au moins ces questions m'avaient-elles empêchée de me rendormir et d'être en proie à un nouveau cauchemar. Les événements étaient encore trop frais.

Un petit coup à la porte me tira de mes pensées, et Braden ouvrit, une tasse de café dans la main.

— Je me suis dit que tu devais être réveillée.

Elle me sourit et me tendit la tasse.

— Merci. (Après une gorgée, je levai les yeux sur elle.) Je suis désolée pour la nuit dernière.

— Tu n'as aucune raison de l'être, protesta-t-elle en fronçant les sourcils. C'est moi qui suis désolée que tu aies ces fichus rêves. J'aimerais tant les faire partir. Et je suis désolée que tu aies trouvé l'amour et que ça n'ait pas fonctionné. Je suis désolée de toute cette merde que tu dois gérer. Mais toi, tu n'as jamais eu aucune raison d'être désolée, Della Sloane.

Braden m'avait sauvé la vie. Avant elle, personne ne se préoccupait de moi. D'une manière ou d'une autre, j'avais gagné la loyauté de cette personne au grand cœur et jamais je ne pourrais suffisamment la remercier.

— Tu crois que je vais finir comme ma mère?

— Non. Je ne le pense pas. Ta mère a subi un traumatisme lorsqu'elle avait un nouveau-né qui s'est mélangé à la dépression post-partum dont elle souffrait à l'époque. Souviens-toi, c'était mentionné dans son dossier ; elle avait des problèmes. Et puis elle a perdu son mari et son fils dans des circonstances tragiques. Personne n'était là pour elle. Elle n'avait pas de famille. Rien. Elle avait juste un petit bébé, et oui, elle a craqué. Dans ces circonstances, la plupart des gens auraient fait la même chose. Si elle avait eu de la famille pour se soucier d'elle, je pense qu'elle aurait pu aller mieux. Mais ça ne s'est pas passé comme ça. Elle était seule et elle s'est égarée. Ça ne t'arrivera pas. Parce que je suis là et que je ne te laisserai jamais seule.

Je voulais la croire. Je voulais qu'il existe une raison expliquant pourquoi ma mère n'était pas restée avec moi. Que les faits étaient inévitables.

— Et ma grand-mère? Elle était en hôpital psychiatrique, soulignai-je, toujours hantée par ce fait.

— Est-ce qu'au moins tu en connais la raison? As-tu fait des recherches? Tu ne sais pas pourquoi ni même si c'est vrai. Ta mère te l'a raconté, et elle était déjà fragile mentalement, Della. Jusqu'ici, on t'a raconté beaucoup de choses qui ne sont pas forcément vraies. Et qui te terrifient. Mais, honnêtement, Della, si tu devais craquer, tu l'aurais fait quand on a découvert ta mère avec le rasoir entre les mains et les poignets tranchés. Or tu as tenu bon. Tu as passé l'épreuve avec suffisamment de courage pour apprendre à vivre. Tu peux y arriver, Della. Tu es capable de vivre une vie heureuse et bien remplie. La vie que méritait ta mère mais qu'on lui a volée. Ne laisse pas ta peur t'en empêcher. Je t'en supplie.

C'était ce que je désirais : vivre. Pour le père et le frère que je n'avais jamais connus et pour ma mère, flouée par la vie. C'est pour eux que je voulais vivre. Et pour moi aussi.

— Pourquoi ne l'appelles-tu pas ?

Je ne demandai pas de qui elle parlait. Je connaissais la réponse. Elle voulait que j'appelle Woods. Je voulais vivre avec lui. Je l'aimais. Mais comment m'interposer entre lui et son père ? Son père qui me haïssait ! J'allais faire obstacle à sa famille. Si Woods me désirait plus que la vie à laquelle il était destiné, alors il me retrouverait. Je n'allais pas le perturber en l'appelant. Il lui fallait le temps de décider si j'en valais la peine.

— Je vais attendre. Il sait d'où je viens et il connaît ton nom. S'il veut vraiment me retrouver, ça ne lui posera aucun problème. L'enjeu est énorme pour Woods. Je ne suis pas sûre d'en valoir la peine.

Braden enroula un bras autour de mes épaules et posa sa tête contre la mienne.

— Combien de fois faudra-t-il te dire que tu es exceptionnelle ? Les gens qui te rencontrent et qui n'ont pas envie de mieux te connaître et de faire partie de ta vie sont des imbéciles. Je m'en suis rendu compte alors que je n'étais qu'une gamine.

— Non, objectai-je en souriant. Tu croyais que j'étais
un vampire et tu voulais être mon amie pour que je ne
te mange pas.

— C'est vrai aussi, admit Braden en gloussant de rire.
Mais j'ai vite compris que tu n'étais pas une suceuse de
sang et je t'ai bien aimée malgré tout.

Nous restâmes assises quelques minutes en silence,
perdues dans nos pensées.

— Je ne travaille pas aujourd'hui, lança Braden. Si on
allait faire les magasins ?

— D'accord, bonne idée.

Tout était bon pour me sortir de cette maison et m'empêcher de penser à Rosemary Beach ... et à Woods.

Woods

Je n'ai pas fermé l'œil de la nuit. Mais j'ai tiré au clair certaines choses. Si Della a été contrainte de partir au pied levé, le seul endroit où je pouvais l'imaginer se rendre était en Géorgie, chez son amie Braden. À ma connaissance, c'était la seule personne dont elle était proche.

J'appelai Josiah à 6 heures du matin pour qu'il fasse des recherches sur une femme d'environ vingt ans, prénom Braden, dans la ville de Macon dans l'État de Géorgie – tous les éléments dont je disposais. En moins de dix minutes, il avait un nom de famille, un numéro de téléphone et une adresse. Une Braden Fredrick habitant Macon en Géorgie avec son mari Kent.

Je composai le numéro que Josiah m'avait communiqué et tombai deux fois sur la boîte vocale.

Je rappelai Josiah.

— Trouve-moi le numéro de Kent Fredrick. Il doit bien bosser quelque part. Il a forcément un numéro à son travail.

— O.K., une petite seconde, répondit Josiah sans poser de question. (Je l'entendis pianoter sur son clavier.) Ah, le voilà. Il est avocat. Cabinet Fredrick & Fredrick. Visiblement, l'autre Fredrick, c'est son père. Téléphone : 478-555-5515.

— Merci.

Je raccrochai et composai aussitôt le numéro que je venais de noter.

— Fredrick & Fredrick, cabinet d'avocats.

— Je souhaite parler à Kent Fredrick.

— Un instant, je vous prie. Je crois que la ligne est occupée. Oh, attendez, elle s'est libérée. Je transfère votre appel.

J'attendis pendant que le téléphone égrenait quelques notes de musique classique. Je ne tenais plus en place. J'étais si près du but.

— Kent Fredrick, répondit une voix masculine.

— Kent. Woods Kerrington à l'appareil…

— Il était temps, monsieur Kerrington. Je n'aime pas voir mon épouse inquiète, et quand Della est boule-versée, ma femme l'est aussi.

Il savait où elle se trouvait. Je me figeai, submergé par l'espoir.

— Vous savez où est Della ?

— Ouais, elle est chez nous. Arrivée hier dans un état pas possible. Votre père mérite un bon coup de pied au cul. Quant à vous, on n'a pas encore tranché.

Elle était là-bas. Je me remis à marcher, faisant les cent pas sous le porche avant de piquer un sprint pour des-cendre l'escalier jusqu'à mon pick-up.

— Elle va bien ? Elle est blessée ?

Josiah avait beau m'avoir dégoté ce numéro, s'il l'avait maltraitée, il allait passer un mauvais quart d'heure.

— Ses poignets sont à vif à cause des menottes qu'elle a portées pendant les cinq heures de route. À part ça, c'est juste le cœur qui est brisé. Mais elle a l'habitude, Della, d'être en mille morceaux.

Les mots « Della » et « cœur brisé » dans la même phrase m'inquiétaient. Il fallait que je la voie.

— Je suis en route. Ne la laissez pas repartir.

— Tu viens la chercher ici?

— Oui.

— Je ne suis pas sûr d'accepter que tu la ramènes près de ton abruti de paternel. Qui me dit qu'il ne va pas de nouveau lui faire du mal? Della n'a pas de famille. C'est Braden, sa famille. Et quand j'ai épousé Braden, j'ai accepté Della. Je le savais en m'engageant. Ces deux-là sont extrêmement liées. Et moi je protège les miens.

— Della est à moi, que ce soit bien clair, répliquai-je en agrippant le volant. Je serai là dans cinq heures.

Je raccrochai le téléphone et entrai l'adresse des Fredrick dans le GPS.

Au bout de trois heures de route, la sonnerie de mon portable retentit et le nom de mon père s'afficha à l'écran. J'eus envie de rejeter l'appel mais me ravisai. Il était temps de faire face au bonhomme. Je n'allais pas ramener Della là-bas. C'était inenvisageable. Il ne l'accepterait jamais et je refusais de vivre sans elle. Il n'y avait donc aucun avenir pour moi au Kerrington Club.

— Quoi? répondis-je sans le gratifier des salutations d'usage.

J'allais le laisser déblatérer, et puis je lui ferais part de ma décision.

— Où es-tu? J'ai eu un appel du country club me disant que tu étais absent ce matin. Ils ont des problèmes de sous-effectif au salon et deux charriots sont en panne.

— Tu n'as qu'à les réparer. Après tout, c'est ton country club. Je me fous de ce qui s'y passe. En renvoyant Della, tu as fait exactement ce qu'il fallait pour me mettre à dos. Ils lui ont fait du mal, sale ordure. Et toi, tu m'as perdu. Je ne veux plus rien avoir à faire avec toi, avec ma mère, qui t'a aidé à manigancer tes saloperies, ou ton

business. Tu ne me contrôleras pas. Je t'en empêcherai.
Je me casse. C'est le sang de mon grand-père qui coule
dans mes veines, et je peux me faire un nom tout seul.
Je n'ai pas besoin de toi. Je n'ai jamais eu besoin de toi.

Je raccrochai sans prendre la peine d'attendre sa
réponse. Je souris face à la route qui se déroulait sous
mes yeux. J'allais retrouver la seule personne qui me
donnait soif de vivre et envie de construire une vie
à deux. Ce ne serait pas l'existence comblée et favo-
risée qui m'avait vu grandir. Ce serait une vie pleine
d'amour. Car, jusqu'à Della, j'étais passé à côté de
quelque chose.

Mon téléphone sonna à nouveau, affichant cette fois
l'indicatif régional de Macon en Géorgie, mais suivi d'un
autre numéro. Pas celui que j'avais enregistré dans mon
répertoire.

— Allô ?

— Woods Kerrington ? s'enquit une voix de femme.

— Oui.

— Ici Braden Fredrick. J'ai quelques questions à vous
poser avant de vous laisser débouler dans la vie de Della.
Je ne suis pas aussi convaincue que mon mari que votre
venue soit une bonne chose.

Je souris en décelant le ton protecteur de cette femme.
Della avait une bienfaitrice et, pour cette raison-là, j'aimais déjà cette inconnue. Quiconque veillait sur Della
avait mon plus profond respect.

— Très bien. Demandez ce que vous voulez.

— Pourquoi venez-vous ici ?

— Parce que je ne peux pas vivre sans Della. C'est
hors de question. C'est pour elle que je me lève chaque
jour.

Silence. Je me demandai si elle allait poursuivre ses
questions. J'attendis.

— O.K. Bonne réponse. Vous remontez dans mon estime. Pensez-vous que Della soit folle ou qu'elle puisse le devenir ?

— Non. Elle est exceptionnelle et pleine de vie. Elle doit surmonter certains problèmes, mais elle va aller mieux. J'ai l'intention de l'aider et je suis persuadé qu'un jour prochain elle n'aura plus affaire à tout ce qui la tourmente.

J'entendis un soupir de soulagement à l'autre bout de la ligne.

— Dernière question : pourquoi aimez-vous Della ?

Inutile d'y réfléchir à deux fois.

— Avant que Della entre dans ma vie, je ne comprenais pas le concept de l'amour. Je n'avais jamais été amoureux et connu que très peu d'affection. Mais j'avais vu l'amour à l'œuvre. Mes grands-parents se sont aimés jusqu'à leur mort. J'ai toujours pensé que je ne connaîtrais jamais ça. Et puis j'ai rencontré Della. Elle a fait naître en moi des émotions dont j'ignorais l'existence. Je l'ai dans la peau. Avec elle, il n'y a pas de faux-semblant. Elle n'a pas conscience de sa beauté. Elle est totalement altruiste. Et, même sans ça, son rire et son regard quand elle est réellement heureuse sont la seule chose qui me tienne à cœur.

Un léger reniflement à l'autre bout du fil me prit de court.

— O.K. Viens la chercher. Je valide.

Son petit hoquet me fit sourire.

— Je suis presque arrivé.

Della

Braden avait dû s'absenter pour une réunion à l'école. Elle n'en avait parlé qu'après le déjeuner. Elle était partie à toute vitesse après avoir reçu un coup de fil l'en informant. J'envisageai de faire une sieste, ou tout du moins d'essayer. Je n'étais pas sûre de mieux dormir ce soir. Je détestais l'idée de réveiller Braden et Kent avec mes cris. Je jetai un œil à l'horloge. Cela faisait maintenant près de vingt-quatre heures que j'étais rentrée. Et pas de signe de Woods. C'était un type intelligent ; s'il avait voulu me trouver, il l'aurait déjà fait.

Quelle déception. Alors que je voulais qu'il se préoccupe de moi. Qu'il m'aime vraiment.

Lorsque la sonnette de l'entrée retentit, je restai immobile dans la cuisine. Je ne savais pas trop si je devais ouvrir. Braden et Kent ne m'avaient laissé aucune consigne. En plus, on était en plein milieu de journée, à un moment où tous les deux se trouvaient habituellement au travail. Certains jours, Kent travaillait de chez lui, comme hier lorsque j'étais arrivée, mais pas aujourd'hui. Il n'y avait aucune voiture dehors.

Nouveau coup de sonnette. La personne était obstinée. Je traversai le couloir jusqu'à l'entrée. De là, je pourrais voir de qui il s'agissait au travers des deux vitres qui flanquaient la porte. Je m'approchai discrètement et jetai un œil dehors.

Woods fixait la porte d'entrée d'un air inquiet, les mains enfoncées dans ses poches. Il était arrivé jusqu'ici. Comment avait-il fait?

— Allez, Della, je sais que tu es là. Ouvre, bébé, s'il te plaît, supplia-t-il en toquant de nouveau.

C'est pour moi qu'il était là. Je me redressai et agrippai la poignée. C'était lui. Il voulait me voir. Il n'avait pas appelé; il était tout simplement venu me chercher. J'ouvris lentement la porte et Woods la poussa en grand pour se précipiter dans la maison. Son regard se planta dans le mien et il me tira contre lui pour me serrer dans ses bras.

— Je devenais fou, murmura-t-il dans mes cheveux. Impossible de dormir. De manger. Je suis tellement désolé. Je te jure que je ne le lui pardonnerai jamais. Jamais de la vie.

Il continua à me faire des promesses en me tenant dans ses bras. Je glissai mes mains pour enlacer sa taille et posai la tête contre son torse. Il était venu. C'est tout ce qui comptait.

— Je t'aime, Della. Je ne veux pas te perdre. C'est toi, Della. Tout ce que je veux. Toi. Rien d'autre. On va construire notre vie ensemble. Une toute nouvelle vie. La nôtre. Une qui nous ressemble.

Il abandonnait sa famille et le club. Fallait-il le laisser faire ça?

— Je ne veux pas que tu renonces à tout ce pour quoi tu as travaillé, soupirai-je contre sa poitrine.

— Je perdais mon temps. Je ne peux pas mener une existence dirigée par la volonté d'un autre. Il t'a fait du mal, Della. Il t'a fait peur, bébé, je ne pourrai pas l'oublier. Je ne passerai jamais outre. Pour moi, il est mort. Cette partie de ma vie est morte. Je veux juste être avec toi.

Et moi être avec lui.

Je levai la main pour caresser ses cheveux et sa barbe naissante.

— Tu m'as manqué.

— Depuis que je suis entré en cuisine et qu'on m'a dit que tu étais partie, j'ai vécu un véritable enfer. Plus jamais. Je te le jure.

Il fallait qu'il sache. Il était venu jusqu'ici, prêt à tout laisser derrière lui et à commencer une nouvelle vie avec moi. Il fallait qu'il sache à quoi s'en tenir. Je n'avais pas été entièrement honnête avec lui. Je devais lui raconter l'histoire de ma mère et comment je l'avais trouvée. Et de ma grand-mère et de la possibilité que j'aie hérité de la folie de ma mère.

— Mais d'abord, il faut que je te dise tout. Comment ma mère est morte. Le risque que je devienne folle, moi aussi. Je ne peux pas te laisser prendre cette décision sans que tu saches tout sur moi. Tout ce que je gardais pour moi, je dois maintenant le partager avec toi. Après, tu pourras décider si ça en vaut la peine.

Woods effleura mes lèvres des siennes.

— Bébé, je suis tellement vanné que tu pourrais me raconter n'importe quoi, ça ne changerait rien. Mais si ça peut t'aider, alors vas-y. Je veux tout savoir. Que tu comprennes que tu peux tout me dire en étant assurée que je n'irai nulle part.

Si je voulais que ça fonctionne, j'allais devoir lui faire confiance. Il fallait qu'il connaisse cette partie de moi. Il était temps que je m'en ouvre à lui.

— Il y avait une fête. C'est des lycéens qui l'avaient organisée. Ça faisait une semaine que Braden mettait au point un stratagème pour m'y amener en douce. J'étais censée être sa cousine du Mississippi. Elle avait pensé à tout. J'étais surexcitée. Je n'avais jamais été en présence d'autant de personnes.

Je fermai les yeux, sachant pertinemment que ce récit pouvait provoquer une crise. Je voulais être suffisamment forte pour raconter cette histoire, au moins à Woods.

— Prends ton temps, dit-il en me serrant contre lui.

— J'étais nerveuse. Ma mère m'avait surprise à faire le mur à plusieurs reprises au cours des mois précédents. Chaque fois, ça avait mal fini. La plupart du temps, elle me frappait avec une ceinture en cuir. Elle était terrifiée à l'idée que je parte. Et elle parlait de plus en plus souvent à mon frère. À lui dire qu'il lui manquait et qu'elle voulait le rejoindre. Ça me terrorisait. Je savais que le seul moyen pour elle de le rejoindre était... la mort. (Je m'interrompis pour prendre une profonde inspiration.) Cette nuit-là, on s'est éclipsées sans problème. Je suis allée à ma première soirée. J'ai été pour la première fois confrontée au sexe. Pas moi, mais un autre couple. Ils baisaient dans la salle de bains et je cherchais les toilettes. J'étais comme hypnotisée. Ils se tenaient serrés si fort l'un contre l'autre. Je voulais la même chose. Je voulais cette proximité. Après ça, le sexe m'a intriguée. (C'était la portion de l'histoire facile à retenir. Le seul point positif de la soirée. Je détestais me remémorer la suite.) On est parties tard. Vers 3 heures du matin. Je planais de bonheur. Un garçon m'avait embrassée et j'avais adoré. C'était réel. J'avais vécu quelque chose... Et puis on est arrivées à la maison. Braden ne venait jamais à l'intérieur avec moi. Elle attendait toujours à dehors que je sois bien rentrée. Les lumières étaient partout allumées. On apercevait celle de ma chambre depuis le jardin. C'était le premier signe que quelque chose ne tournait pas rond. Habituellement, quand elle me surprenait à faire le mur, ma mère m'attendait dans la pénombre, avec la ceinture à portée de main.

Mon corps fut traversé d'un tremblement. Je respirais difficilement. Mais je n'allais pas laisser la terreur l'emporter. J'allais être victorieuse. Je rassemblai toutes mes forces et levai les yeux sur Woods.

— Braden n'est pas partie quand j'ai ouvert la porte. Elle m'a suivie à l'intérieur et est restée dans l'entrée. On avait compris toutes les deux. Le silence était tellement éloquent. Je ne suis pas allée loin. La maison n'était pas grande et je suis arrivée dans le vestibule depuis le salon. Le sang... son sang. (Je pris une nouvelle inspiration.) Il coulait sur la moquette de la porte de la salle de bains. Dès que j'ai vu, j'ai su. C'était à quelques pas de moi mais j'avais l'impression qu'il y avait des kilomètres entre le vestibule et la porte de la salle de bains. Elle était immobile sur le carrelage. Ses deux poignets étaient ouverts et il y avait un rasoir dans la mare de sang autour d'elle. C'est à ce moment-là que mes nerfs ont lâché. J'ai commencé à hurler en lui tenant la main. J'essayais de la ramener. Mais elle voulait retrouver mon frère, et elle avait réussi.

Woods me serra fort contre sa poitrine.

— Oh, ma chérie, je suis désolé. Pour tout. Je suis tellement désolé.

Je n'avais pas terminé. J'aurais bien aimé, mais ce n'était pas tout. J'étais arrivée jusqu'ici et il me fallait poursuivre.

— En entendant mes cris, Braden est arrivée immédiatement. Je l'ai regardée et je lui ai dit que ma mère était morte. C'est là que j'ai perdu connaissance. Je ne me souviens pas qu'elle ait appelé les urgences ni de l'arrivée des secours. J'étais perdue dans un monde dans lequel ma mère était en vie sans que je puisse l'atteindre. Quand j'en suis enfin sortie, Braden était à côté de moi, elle me nettoyait. Elle lavait le sang sur mes mains. Puis

elle m'a fait enfiler des vêtements propres et m'a tenu la
main pendant que je répondais aux questions. Il y en
avait tant. Braden refusait de me laisser. Lorsque tout a
été terminé, j'ai déménagé chez elle et ses parents dans
la maison voisine pendant deux ans. Elle voulait absolument que j'habite avec eux. Je voyais bien que ça les
inquiétait. Elle ne leur avait rien dit de moi pendant
toutes ces années et je leur faisais peur. Je ne leur en voulais pas. Ils ne se sont jamais faits à moi. Ça se voit dans
leurs yeux. Ils attendent que je craque. Je les comprends
parce que je fais la même chose. J'attends…

— N'essaie même pas de prononcer ces mots, tu m'entends ? Tu ne vas pas craquer. Tu es la personne la plus
solide que j'aie jamais rencontrée. Je suis effaré qu'après
tout ce que tu as traversé tu réussisses à illuminer une
pièce de ta simple présence. Je te regarde et je vois la vie.
Je vois la joie. Je vois mon avenir.

J'étais son avenir. Il était le mien. Si j'avais comme
perspective d'avenir une existence au côté de Woods, je
pourrais combattre les ténèbres qui essayaient de me ter-
rasser. Avant Woods, je ne savais pas pourquoi je vivais.
Dans ma quête de sens, j'avais trouvé bien plus. Désormais, je savais pourquoi je voulais vivre. Je comprenais
l'amour. Je l'avais trouvé.

Braden nous proposa de rester. Woods déclina l'invitation. Elle n'insista pas, ce qui me surprit. Woods me
demanda de prendre mes deux valises. Nous restâmes à
proximité, parce que je n'étais pas encore prête à quitter
Braden. Woods trouva un hôtel cinq étoiles à Atlanta.
Lorsque la porte de la chambre se referma derrière nous,
il laissa tomber mes valises, s'approcha de moi à grands
pas et me souleva du sol. Il me porta jusqu'au lit king
size qui trônait au milieu de la pièce.

— J'ai quelque chose à te demander, annonça Woods en retirant sa chemise qu'il jeta par terre avant de déboutonner son jean.

— D'accord, répondis-je en fixant ses mains plutôt que son visage.

J'adorais le regarder baisser son pantalon et libérer son sexe tendu.

— Lorsque je serai profondément en toi, j'ai besoin que tu me dises que tu m'aimes.

La vulnérabilité de sa requête me fit prendre conscience que je ne le lui avais jamais dit. Je me redressai et posai les deux mains sur sa poitrine tandis qu'il se penchait sur moi.

— Tu sais que je t'ai…

— Pas maintenant. Quand je serai en toi. Tu me le diras à ce moment-là, insista-t-il, un doigt sur mes lèvres.

Je retirai mon haut et il se chargea du reste en un éclair. D'une main, il saisit mon genou et m'écarta les jambes pour m'avoir ouverte devant lui.

— Je veux l'embrasser. Je crois que je lui ai manqué, murmura-t-il en baissant la tête pour s'installer entre mes jambes.

Je me cambrai sous lui et empoignai ses cheveux en hurlant son nom tandis que sa langue, léchant d'abord ma fente, effectuait des cercles sur mon clitoris gonflé.

— Oui, je lui ai manqué, chuchota-t-il en me souriant avant de glisser deux doigts à l'intérieur et de laper le fluide qui coulait librement du plaisir intense qu'il provoquait.

— Énormément, confirmai-je en immobilisant sa tête pendant qu'il aspirait mon clitoris dans sa bouche.

J'étais tellement proche de l'orgasme. Mais je voulais qu'il me pénètre.

— Je te veux en moi, haletai-je en le tirant pour qu'il remonte le long de mon corps.

Woods dessina un chemin de baisers le long de mon ventre, de ma poitrine et de mon cou jusqu'à ce que ses hanches se dressent au-dessus des miennes. Il déposa plusieurs baisers chastes sur ma bouche. J'écartai les jambes pour qu'il se glisse à l'intérieur. L'extrémité de son érection effleurait mon sexe et me rendait folle.

Woods baissa les hanches et me pénétra lentement. Le sentiment de symbiose me bouleversa. Woods me complétait. Il avait la capacité de guérir tout ce qui n'allait pas chez moi. L'avoir auprès de moi était tout ce dont j'aurais jamais besoin.

— Je t'aime, affirmai-je sans aucune réserve.

Jamais il n'y eut de mots plus vrais. Woods s'immobilisa et sa gorge se mit en mouvement tandis qu'il avalait avec difficulté. Je caressai doucement son cou du bout de mes ongles. Chaque millimètre de son corps me fascinait.

— Je t'aime. Jamais je ne t'abandonnerai, et je te jure, ma chérie, que tu ne seras jamais seule.

Ses mots étaient chargés d'émotion. Je détournai mon regard de la ligne de sa nuque pour le poser sur ses yeux qui brillaient de larmes.

Je levai les jambes par-dessus ses hanches et les enroulai fermement autour de son corps, puis je glissai les bras autour de son cou et l'attirai vers moi. Je n'avais pas besoin de lui expliquer ce que je voulais. Il le savait. À cet instant, j'eus la conviction qu'il voulait la même chose. Nos corps se mirent à bouger de concert. Nous ne formions réellement plus qu'un. Je n'avais jamais connu de lien aussi profond.

— C'est ça, faire l'amour? demandai-je tandis que mon orgasme montait en moi.

— Chaque fois que je suis en toi, c'est faire l'amour, bébé. Chaque fois.

Je souris et embrassai son épaule avant de m'agripper tandis que des vagues de plaisir submergeaient mon corps.

Le corps de Woods se tendit puis trembla et il poussa un grognement en jouissant. La tension retombée, il roula sur le dos en m'emportant avec lui. Il me fixa avec une telle dévotion que ma gorge se noua.

Je voulais que cet instant dure toujours. Si je pouvais constamment être aussi près de lui, ma vie serait parfaite. Woods commençait à m'embrasser lorsque son téléphone se mit à sonner. Il fronça les sourcils et jeta un œil à son portable à côté de nous sur le lit. Je lus le nom de Jace à l'écran.

Je regardai l'heure sur le téléphone : 1 heure du matin.

— Pourquoi appelle-t-il si tard ? Réponds.

Woods décrocha.

— Allô ?

Je vis toute émotion refluer de son visage. Il ne prononça pas un mot. À l'évidence, Jace parlait, parce que Woods l'écoutait sans rien dire. Son visage impassible m'empêchait de deviner de quoi il retournait.

— Je suis toujours là, confirma Woods au téléphone.

Il ne dit rien d'autre.

Quelques secondes plus tard, il raccrochait. Il resta assis, les yeux rivés sur le téléphone dans le creux de sa main. Son visage était indéchiffrable. Mais quelque chose n'allait pas.

— Qu'est-ce qu'il voulait ?

Woods secoua la tête.

— Rien. Il ne voulait rien. Il voulait simplement me dire qu'il y a trente minutes, mon père est mort d'un arrêt cardiaque.

Remerciements

Keith, mon mari, qui a toléré la maison mal entretenue, la pénurie de linge propre et mes sautes d'humeur pendant que je rédigeais ce livre (et tous mes autres livres).

Mes trois précieux bambins, qui ont mangé quantité de pogos, pizzas et Frosties parce que je m'enfermais pour écrire. Promis, je leur ai cuisiné de bons plats chauds à la fin.

Colleen Hoover, Tina Reber, Autumn Hull, Liz Reinhardt pour leur lecture et leurs commentaires sur *Dangerous Perfection*. Merci pour votre aide, mesdames !

À l'agent la plus cool du monde littéraire, Jane Dystel, que j'adore, c'est aussi simple que cela. Un grand remerciement à Lauren Abramo, mon agent pour les droits étrangers, qui fournit un travail fantastique afin que mes livres soient publiés dans le monde entier. Elle assure.

Et surtout, Dieu, qui m'a donné la créativité et la capacité d'écrire. Le fait que je puisse m'adonner à ce que j'aime chaque jour est un cadeau que Lui seul peut offrir.

COMPOSITION DATAMATICS
CET OUVRAGE A ÉTÉ ACHEVÉ D'IMPRIMER
PAR GRAFICA VENETA
EN JANVIER 2015

N° d'édition : 01.
Dépôt légal : Janvier 2015
Imprimé en Italie